Elizabeth George

Educando filhas segundo o coração de Deus

Este livro pertence a

_____,

*uma mãe, cujo objetivo é educar uma
filha segundo o coração de Deus.*

© 2011 por Elizabeth George
Publicado por Harvest House
Publishers. Eugene, Oregon 97402
www.harvesthousepublishers.com
Portuguese editon © 2014 by
Editora Hagnos Ltda.
All rights reserved.

1ª edição: março de 2014
3ª reimpressão: julho de 2023

Tradução
Lena Aranha

Revisão
Andrea Filatro
Noemi Lucilia Lopes

Capa
Maquinaria Studio

Diagramação
Sonia Peticov

Editor
Aldo Menezes

Coordenador de produção
Mauro Terrengui

Impressão e acabamento
Imprensa da Fé

As opiniões, as interpretações e os conceitos emitidos nesta obra são de responsabilidade da autora e não refletem necessariamente o ponto de vista da Hagnos.

Todos os direitos desta edição reservados à
Editora Hagnos Ltda.
Rua Geraldo Flausino Gomes, 42, conj. 41
CEP 04575-060 — São Paulo, SP
Tel.: (11) 5990-3308

E-mail: hagnos@hagnos.com.br
Home page: www.hagnos.com.br

Editora associada à:

Dados Internacionais de Catalogação na Publicação (CIP)
(Câmara Brasileira do Livro, SP, Brasil)

George, Elizabeth

Educando filhas segundo o coração de Deus / Elizabeth George; traduzido por Lena Aranha. — São Paulo: Editora United Press, 2014.

Título original: Raising a daughter after God's own heart.

ISBN 978-85-243-0451-4

1. Mães — Vida religiosa
2. Mãe e filhos — Aspectos religiosos — Cristianismo
3. Paternidade — Aspectos religiosos — Cristianismo
I. Título.
II. Aranha, Lena

14-00787   CDD–248:8431

Índice para catálogo sistemático:
1. Mães e filhos: Educação cristã: Cristianismo   248:8431

Este livro é amorosamente dedicado às minhas amadas filhas segundo o coração de Deus — Katherine e Courtney — e às minhas preciosas netas segundo o coração de Deus — Taylor, Katie, Grace e Lilyanna.

Que na mocidade [...] as nossas filhas [sejam]
como pedras angulares e lavradas de um palácio.

(Salmos 144:12)

Sumário

De mãe para mãe 9

Capítulo 1: A ovelha-guia
Parte 1: Ganhando seu sino 13
Parte 2: Tocando seu sino 21

Capítulo 2: A guerreira de oração
Parte 1: Lembrando-se de orar 35
Parte 2: Preparando-se para a batalha 47

Capítulo 3: A semeadora
Parte 1: O coração da semeadora 60
Parte 2: O trabalho da semeadora 70

Capítulo 4: A treinadora 82

Capítulo 5: A mulher fervorosa 98

Capítulo 6: A promotora de eventos 115

Capítulo 7: A professora
Parte 1: O modelo 130
Parte 2: A mentora 142

Capítulo 8: A edificadora 160

Capítulo 9: A animadora 174

Capítulo 10: A pastora 194

Capítulo 11: A maratonista 211

Notas 229

De mãe para mãe

Por várias décadas, meu marido e eu oramos sobre transmitir a nossas filhas nossa fé em Cristo e, um dia, conforme a vontade do Senhor, vê-las transmitirem a seus filhos o amor que sentem por Jesus. Bem, você não pode imaginar como Jim ficou empolgado alguns dias atrás. Ele mal pôde esperar chegar em casa para me contar o que tinha ocorrido ao levar nossa neta Grace à aula de balé, algo que Jim jamais havia feito. Nossa filha estava muito ocupada, e Jim se ofereceu para ajudá-la na tarefa de ser o "motorista" que levaria Grace à aula de balé. Nesse dia, Deus escolheu abençoar Jim de forma especial. Veja o que se passou:

Tudo aconteceu em um sábado em que a frequência à aula de balé era obrigatória porque as alunas estavam ensaiando para um recital. Grace *ama* ir à aula de balé. Ela é esguia, graciosa, tem leveza nos pés e demonstra a excelência de uma pequena bailarina. Entretanto, nesse dia, toda a família de Grace estava envolvida em um seminário na igreja.

Courtney, nossa filha e mãe de Grace, estava ajudando na programação infantil, enquanto os adultos participavam do seminário. E Grace queria ficar na igreja para também participar da programação para as crianças. A solução? Jim pegaria Grace na igreja para levá-la à aula de balé, e depois a traria de volta para a igreja.

Bem, tudo estava correndo muito bem até Jim chegar à igreja para levar Grace ao ensaio. Quando ele estacionou o carro, viu Grace e nossa filha saindo da sala das crianças, e Grace estava aos prantos. Jim perguntou: "O que aconteceu? Está tudo bem? Ela está doente? Machucou-se?" E Courtney explicou-lhe: "Ela estava gostando tanto do grupo bíblico que não queria sair".

Não preciso nem dizer que Jim e Courtney se desdobraram para tentar convencer Grace de que logo ela estaria de volta à igreja e passaria o restante do dia com as outras crianças até o fim do seminário. Por fim, com essa garantia, Grace limpou as lágrimas e foi para seu ensaio.

Depois da aula de balé, quando Jim a levava de volta para a igreja, a pequena Grace, que já estava aprendendo a ler, suspirou do banco de trás e disse: "Sabe o que quero de presente de aniversário?" (Ela disse isso apesar de ainda faltarem seis meses para essa celebração!) E, antes que Jim pudesse responder, Grace anunciou: "Agora que já sei ler, quero uma Bíblia de verdade para que possa ler quanto quiser!"

Essa é uma história muito doce, não é mesmo? Toda mãe que ama a Cristo deseja que seus filhos amem também a Jesus e apreciem a Palavra de Deus. Sei que isso nem sempre acontece, mas você, por ser uma das mães que seguem o Senhor, deve fazer o que ele lhe pede — fazer o seu melhor, fazer a sua parte e depois deixar os resultados com ele.

É disso que trata este livro. Fazer o seu melhor. Fazer a sua parte. Desempenhar o papel ou missão que Deus lhe designou: a de mãe que deseja educar uma filha para amar o Senhor. Não posso garantir os resultados — o que quer que aconteça, isso depende de Deus. Mas o que *posso* oferecer são as minhas experiências pessoais, a sabedoria retirada da Palavra de Deus, o conselho de outras mães, as sugestões para fazer você seguir em frente, e toneladas de encorajamento!

Este livro não responderá a todas as suas perguntas. Não fornecerá todas as respostas. No entanto, apresentará um recurso a mais para sua tarefa de ser mãe. Dará a você mais oportunidades de arregaçar as mangas da maternidade e aplicar a Palavra de Deus aos seus esforços para educar uma filha segundo o coração de Deus. Bem, não é fácil alcançar esse objetivo — um prêmio grande assim não é facilmente alcançável. No entanto, as recompensas de passar adiante as verdades sobre Deus para sua filha e observá-la crescer para se tornar uma mulher segundo o coração de Deus será algo magnífico — o fruto durará por toda a eternidade. Deus promete: *Porque o SENHOR é bom! Seu amor dura para sempre, e sua fidelidade, de geração em geração* (Salmos 100:5).

capítulo 1

A OVELHA-GUIA

Parte 1: Ganhando seu sino

Amarás o Senhor teu Deus de todo o teu coração,
com toda a tua alma e com todas as tuas forças.
— Deuteronômio 6:5

Recentemente, em um domingo de Natal, meu marido, Jim, eu e nossa família de 14 membros chegamos cedo à igreja, a fim de que, naquele culto especial, não acabássemos fazendo parte do grupo de "pessoas de pé". Com o boletim da igreja e havendo ainda vários minutos para o início do culto, abri minha Bíblia e olhei a passagem das Escrituras que o pastor enfocaria em sua mensagem. Depois li algumas notas adicionais de estudo e os comentários na margem da Bíblia. Um deles intitulava-se "A ovelha-guia".

Ovelha-guia? O que é isso? — pensei. Continuei a leitura. O comentário dizia que, quando percebia que uma de suas ovelhas o seguia espontaneamente durante longo tempo, o pastor pendurava-lhe um sino ao pescoço para que o resto do rebanho seguisse a ovelha-guia que, por sua vez, seguia o pastor.[1]

Sabendo que começaria a escrever o livro *Educando filhas segundo o coração de Deus* assim que as férias de Natal acabassem, quase pulei do meu assento quando li esse comentário. Minha mente bradava: "É isso aí! É isso aí! A mãe deve ser a ovelha-guia para sua filha!"

14   Educando filhas segundo o coração de Deus

E isso é verdade! Quando nós, mães, permanecemos próximas de Jesus, o mais perto que podemos; quando o amamos de todo o coração, conforme Jesus nos disse para fazer; e quando o seguimos e obedecemos à sua Palavra, adivinhe o que acontece: nós nos transformamos na ovelha-guia que nossas filhas seguirão. Nossas filhas observarão — e imitarão — nosso comportamento. Poderão seguir nosso exemplo. Transformamo-nos no exemplo vivo, dinâmico e concreto do que significa ser uma criança, uma menina, uma adolescente e uma mulher segundo o coração de Deus.

COMO SER UMA OVELHA-GUIA... EM TRÊS VERSÍCULOS

Os feriados de Natal por fim acabaram, o que significava que seria o Dia D para mim — ou mais precisamente o Dia E (Dia de Escrever). Portanto, sentei-me para começar meus registros, pensei e orei: "Em que momento exatamente começa a educação cristã dos filhos? E qual é o alvo, o objetivo número 1, para uma mãe?

Obtive a resposta em poucos segundos! E ela veio por meio da Palavra de Deus, empacotada em três versículos que eu descobrira quando era uma jovem mãe e também ainda um bebê na fé cristã. Fiz uma retrospectiva sobre aqueles dias de empolgação e novidade, quando eu, recém-convertida, estava sedenta por descobrir pela primeira vez o que Deus ensina sobre... tudo! E em especial: "O que devo fazer com essas duas garotinhas pequenas entregues aos meus cuidados pelo Senhor?"

Sou muito grata por uma sábia mulher ter me aconselhado a ler minha nova Bíblia todos os dias. Bem, chegou o dia em que deparei com o livro de Deuteronômio. E ali encontrei ouro quando alcancei Deuteronômio 6:5-7. Fiquei perplexa. Surpresa. Empolgada! Deus estava de fato me mostrando *sua* orientação para educar minhas duas garotinhas de apenas um 1 ano e meio e 2 anos e meio. E em apenas três versículos! Quanto essa orientação é prática? Aqui está o que li repetidas vezes até, por fim, memorizar o trecho bíblico:

> *Amarás o* SENHOR *teu Deus de todo o teu coração, com toda a tua alma e com todas as tuas forças. E estas palavras, que hoje te ordeno, estarão no teu coração; e as ensinarás a teus filhos e delas falarás, sentado em casa e andando pelo caminho, ao deitar-te e ao levantar-te.*

Considero de grande valor esses versículos porque são repletos de instruções claras para as mães. Deus vai direto ao ponto da questão — o coração do pai, o coração da *mãe.* Ele sabe que nos transformamos naquilo que amamos, e é extremamente objetivo sobre onde devemos depositar nosso amor. Devemos amá-lo de forma suprema.

DUAS PERGUNTAS QUE VOCÊ DEVE FAZER A SI MESMA
Acredite em mim: refleti muito sobre essa passagem, muito mesmo! Depois, examinei-a, palavra por palavra, pensamento por pensamento. E cheguei a duas perguntas que fiz constantemente ao meu coração, durante a época em que educava minhas filhas, e que continuo a fazer, porque minhas duas filhas, hoje casadas, educam as próprias filhas. — Afinal, mãe é sempre mãe!

Pergunta número 1: O que – ou quem – eu realmente amo?
"Amamos" muitas coisas por muitas e variadas razões. Deus, no entanto, prescreve os limites e o escopo para o nosso amor. Ele nos diz o que *não* devemos amar: *Não ameis o mundo nem o que nele há* (1João 2:15). E o Senhor nos diz o que *devemos* amar

16 Educando filhas segundo o coração de Deus

e em que deve estar o foco de nosso amor — devemos amar o próprio Senhor (Deuteronômio 6:5).

Mas espere aí. O Senhor dá um passo além e exige *todo* o nosso amor. Ele quer que *o* amemos com todas as fibras de nosso ser — a cada respiração, a cada esforço, a cada pensamento, a cada emoção ou paixão, a cada escolha. Ele quer que nós o amemos. Quer que pensemos primeiro nele e que, acima de tudo, desejemos agradá-lo. E ele quer que nosso amor seja intenso e total: *de todo o teu coração, com toda a tua alma e com todas as tuas forças.* Conforme Matthew Henry resume: "Ele, que é tudo para nós, exige tudo de nós".[2]

Matthew Henry prossegue, salientando que nosso amor por Deus deve ser tão forte a ponto de ser vivido com grande entusiasmo e fervorosa afeição. Deve ser o amor que queima como fogo sagrado, um amor que faz toda afeição fluir em direção aos céus.

Agora aplique a informação sobre a força desse tipo de amor por Deus ao amor que você sente por sua filha, por seus filhos. Tenho certeza de que já ouviu outras pessoas dizendo: "Não existe amor como o amor de mãe". E é verdade! A partir do momento em que nós, mães, tomamos ciência de que um bebê está a caminho, todos os nossos pensamentos, sonhos, orações e objetivos são canalizados em direção a essa criança. Ficamos completamente absorvidas e preocupadas com esse pequenino ser. À medida que o bebê cresce em nosso ventre, nosso amor brota e nosso compromisso para com ele cresce junto com as transformações em nosso corpo.

De imediato, começamos a nos preparar fisicamente para a sua chegada, cuidando meticulosamente de nossa saúde. Como se diz, mãe saudável gera bebê saudável. Preparamos também o espaço físico, providenciando o necessário para a sua chegada. Um bercinho. Um cobertor. Um móbile. Roupas.

Suprimentos. Muitas fraldas! Algumas vezes, pintura e reforma do quarto do bebê.

> *Quanto mais você amar o Senhor, mais amará sua queridíssima filha, um ser humano.*

A seguir, nós, as mães, começamos a trabalhar para organizar nossos horários. Talvez tenhamos de pedir demissão de um emprego ou providenciar a licença-maternidade. Ah, temos de encontrar um pediatra e também abrir espaço para as consultas do período pré-natal. Se formos espertas, começaremos a nos preparar reunindo sabedoria e informação com nossa mãe, com outras mães, e por meio de cursos, livros e internet.

No entanto, por mais que fiquemos fascinadas pela criança prestes a chegar e por mais que nosso foco esteja nela, Deus quer que nos maravilhemos nele e que nele esteja o nosso foco. E isso porque, quanto mais amarmos o Senhor, mais saberemos sobre o amor. E quanto mais soubermos sobre o amor, mais saberemos como amar. E quanto mais soubermos como amar, mais amaremos nossa filha que está prestes a chegar. Gosto do que C. S. Lewis escreveu sobre seu amor por Deus e como isso afetava seu relacionamento com sua esposa: "Quando eu aprender a amar mais a Deus do que à minha queridíssima aqui da terra, deverei amar minha queridíssima aqui da terra mais do que a amo agora".[3] Mãe, o seu amor pelo Senhor preparará você para amar seu bebê. Quanto mais você amar o Senhor, mais amará sua queridíssima filha.

Portanto, a primeira tarefa de Deus para toda e qualquer mãe é amá-lo mais que tudo o que exista em sua vida. Se você for o tipo de mãe comprometida com o Senhor, uma mãe entregue a ele, apaixonada e fervorosa, estará bem adiantada no caminho de ser o tipo de mãe que, pela graça do Senhor, pode educar uma filha segundo o coração de Deus. Por causa de

18   Educando filhas segundo o coração de Deus

todo o seu amor centrado em Deus e porque você o segue de todo o coração, estará preparada para levar sua filha a também seguir a Deus — e poderá ser a ovelha-guia de Deus para ela.

Pergunta número 2: O que está no meu coração?

Não sei o que está no seu coração, mas sei aquilo que está no meu! Deus diz a nós duas o que deve estar em nosso coração, o que ele quer que esteja ali: *E estas palavras, que hoje te ordeno, estarão no teu coração* (Deuteronômio 6:6).

Reflita sobre o contexto no qual essas palavras foram proferidas: em Deuteronômio 6, Moisés usufrui das semanas finais de sua vida. Faz quarenta anos que o povo de Deus saiu do Egito, quarenta anos de errância pelo deserto, quarenta anos sem residência fixa, sem casa. Pelo menos uma nova geração estava pronta para entrar na terra prometida. No entanto, antes de saírem dali, Moisés reafirma a Lei mais uma vez para essa nova geração nascida no deserto. Como essa geração já se casara e agora tinha ou teria filhos, o profeta se dirige a eles, a fim de mostrar a responsabilidade deles como pais. À medida que Moisés fala, ele não quer que essas mães e pais apenas *ouçam* as palavras da Lei e os Dez Mandamentos. Não, ele quer mais, muito mais! Quer que as palavras da Lei se estendam além de seus ouvidos e residam *no coração do povo.*

Você pode examinar novamente Deuteronômio 6:6 e verá que ele diz que a Palavra de Deus, a Bíblia, deve estar *em* nosso coração. Outras passagens bíblicas nos transmitem a mesma mensagem:

> *Não afastes de tua boca o livro desta lei, antes medita nele dia e noite* (Josué 1:8).

> *Guardei a tua palavra no meu coração para não pecar contra ti* (Salmos 119:11).

Meu filho, guarda as minhas palavras e entesoura contigo os meus mandamentos. [...] Prende-os aos teus dedos, escreve-os na tábua do teu coração (Provérbios 7:1,3).

A palavra de Cristo habite ricamente em vós (Colossenses 3:16).

A mensagem é repetida em alto e bom som, não é mesmo? E de forma clara! A Palavra de Deus existe para estar *em* nosso coração. O Senhor pede isso para você e para mim, como mães. Por quê? Porque, quando a verdade habita em seu coração, você tem algo a transmitir à sua filha. Ela se beneficiará disso! E você também se beneficiará com essa atitude: terá um guia quando precisar de ajuda, força, sabedoria e perseverança, em seu papel de mãe, como uma ovelha-guia. Não me entenda errado — ter uma filha e educá-la é talvez a maior bênção de que você poderá desfrutar na terra. Ao mesmo tempo, porém, é o maior desafio. Mas não desanime, querida mãe! A Palavra de Deus sempre estará ali em você, com você e para você, à medida que você guia sua filha nos caminhos do Senhor.

Portanto, a segunda tarefa de Deus para você, como mãe, é comprometer-se com a Palavra. Você deve fazer o que for preciso para incorporar os ensinamentos da Bíblia em seu coração, alma e mente. Conforme diz o ditado: "Você não pode repartir aquilo que não tem". O mesmo é verdade em relação às mães. Ensinar e guiar, liderar e educar uma filha segundo o coração de Deus — isso pressupõe e exige que a verdade de Deus esteja primeiro em seu coração. *Depois*, você terá algo para repartir com sua filha. *Assim*, você tem a coisa mais importante para transmitir à sua preciosa filha: a verdade a respeito de Deus e a graça que ele estende a nós por intermédio de seu Filho, Jesus.

TORNANDO-SE UMA OVELHA-GUIA

Espero que o seu coração esteja respondendo fervorosamente ao nosso primeiro vislumbre do papel essencial na vida de uma mãe segundo o coração de Deus — o de ser a ovelha-guia para sua filha. Mas talvez você sinta que ainda precisa de alguma ajuda. Bem, continue lendo para saber *como* você pode tornar-se a ovelha-guia. A ajuda prática está a caminho!

A OVELHA-GUIA

Parte 2: Tocando seu sino

*E estas palavras, que hoje te ordeno, estarão no teu coração;
e as ensinarás a teus filhos e delas falarás, sentado em casa
e andando pelo caminho, ao deitar-te e ao levantar-te.*

— DEUTERONÔMIO 6:6,7

Quando minhas filhas eram jovens, eu não sabia nada sobre a ovelha-guia. Se soubesse, como eu gostaria de ter sido uma ovelha-guia para elas! Então, eu teria orado: "Ó querido Pai, o Senhor sabe quanto desejo ser a ovelha-guia para minhas filhas. Meu maior objetivo na vida é levá-las a Jesus e ensinar-lhes os caminhos dele". Imagino que, do fundo de sua alma, você esteja elevando esse mesmo clamor ao céu.

Como você provavelmente já aprendeu, é essencial *saber* que existe algo que Deus quer que você faça. E é vital *querer* fazer o que Deus quer que você faça. Mas se você não souber *como* fazer o que Deus quer que você faça, poderá ficar muitíssimo frustrada.

Chegamos agora, portanto, à grande questão de *como* podemos fazer isso que Deus quer — e espera — que façamos? Bem, aqui vamos nós!

SIM, MAS COMO?

Como uma mãe ajuda sua filha a desenvolver o coração voltado para Deus? Deuteronômio 6:7 vem em nosso resgate e responde a essa pergunta para nós. Deus diz: *e as ensinarás a teus filhos e delas falarás sentado em casa e andando pelo caminho, ao deitar-te e ao levantar-te* (v. 7). A mãe que ama sinceramente o Senhor e guarda as palavras dele em seu coração deve *ensiná-las* a seus filhos e suas filhas.

Ensinarás — Há duas formas essenciais para ensinar: pelo exemplo e pela palavra. E há algumas práticas básicas que você pode seguir para ensinar de forma eficaz. Graduei-me em pedagogia e dei aulas para crianças em idade pré-escolar, para alunos de 11 a 17 anos e para adultos em classes noturnas. Ensinar era um trabalho que eu levava a sério. Eu desenvolvia planos de aula para cada dia, semana, mês, semestre e ano escolar. Estudava e preparava de antemão cada dia de aula.

Uma de minhas filhas dá aulas em casa.[1] Fico perplexa com seu comprometimento. Ela planeja cada ano escolar. Pesquisa os materiais para cinco crianças e as respectivas grades curriculares de cada faixa etária. Solicita a grade curricular muito antes da volta às aulas para que possa analisá-la. Depois, faz todo um planejamento buscando sempre a melhor forma de ensinar a matéria, motivar as cinco crianças e orientá-las a cada dia de estudo.

Agora, pense comigo: eu ensinava matérias que não tinham nenhuma relação com Deus ou com a vida cristã, e o mesmo acontece com minha filha. Imagine o esforço que nós duas empregamos na transmissão de informações e fatos. E aqui em Deuteronômio 6:7, Deus está dizendo para nós duas — e para todas as mães — que devemos ensinar às nossas crianças a Palavra de Deus, os caminhos e a verdade do Senhor. Bem, *esse* conteúdo é transformador de vida! A Bíblia é a sabedoria que orientará a vida e as escolhas dessas crianças. É a verdade que penetrará o coração e levará a criança até Cristo. Portanto, tenha consciência de que, toda vez que você ensina a Palavra de Deus, como a ovelha-guia, você está fazendo seu sino tocar! Está ressaltando para sua filha o valor inestimável do tesouro das Escrituras.

É exatamente isso que o Novo Testamento narra a respeito de Timóteo. O apóstolo Paulo disse a respeito de Timóteo, seu companheiro de confiança no ministério: [...] *desde a infância sabes as Sagradas Letras, que podem fazer-te sábio para a salvação, pela fé que há em Cristo Jesus* (2Timóteo 3:15). A Palavra de Deus é uma dinamite! A mãe e a avó de Timóteo, uma equipe mãe/filha segundo o coração de Deus, foram fiéis no ensino das sagradas verdades bíblicas, e essas verdades pavimentaram o caminho de Timóteo para a salvação. A mãe e a avó fizeram sua parte — cumpriram sua missão ao ensinar a verdade salvífica de Deus. E Deus certamente fez a parte dele!

Tempo para descanso. Enquanto fazemos uma pausa aqui, estou pensando: Será que uma mãe segundo o coração de Deus, que quer educar a filha segundo o coração de Deus, leva a sério o ensino das Escrituras? Se você está nessa condição, não deveria comprometer-se a...

- Instruir sua filha nos caminhos de Deus?
- Planejar a maneira pela qual alcançará esse objetivo?
- Separar um horário todos os dias para a leitura da Bíblia junto com sua filha?
- Encorajá-la a passar algum tempo sozinha com Deus, a ter um período de quietude?
- Educá-la de forma que ela faça devocionais todos os dias?
- Buscar materiais apropriados para a idade de sua filha e conversar com outras mães sobre a maneira com que ensinam a verdade bíblica para as crianças?
- Orar diariamente sobre a missão pessoal que Deus designou a você, sobre o papel de mestra para sua filha?

24   Educando filhas segundo o coração de Deus

Delas falarás sentado em casa e andando pelo caminho, ao deitar--te e ao levantar-te. Deus nos diz para falar sobre suas palavras *sentado em casa e andando pelo caminho, ao deitar-te e ao levantar--te.* Nesse versículo 7, o termo "delas" refere-se *àquilo que* você deve ensinar: a Palavra de Deus e seus mandamentos. E a frase "sentado em casa e andando pelo caminho, ao deitar-te e ao levantar-te" refere-se a *como* você deve ensinar: com o propósito e a consciência necessários a essa tarefa.

Pense nisso por um minuto. Em que você é diligente? Algumas mulheres são diligentes no uso do fio dental. Outras são tão diligentes que jamais deixam de fazer sua caminhada ou exercício diário. Outras ainda não chegam atrasadas ao trabalho nem deixam de pagar as contas em dia. Conheço mulheres que são tão preocupadas com cada grama de alimento que ingerem, que chegam ao ponto de registrar, todos os dias em uma caderneta, o que comem. E essa lista de atitudes nas quais as mulheres escolhem ser diligentes — em vez de serem descuidadas, preguiçosas ou negligentes — prossegue indefinidamente.

Redirecione agora seus pensamentos, a fim de fazer o que Deus ordena: ser diligente no ensino da verdade espiritual à sua filha, em vez de deixar essa tarefa tão importante para outra pessoa, como o líder da igreja, o professor de uma escola cristã ou um dos avós. Não me entenda mal! Esses são recursos maravilhosos e necessários. No entanto, são apenas seus parceiros no compartilhar a verdade, e não seus substitutos. Você, a mãe, deve ser a ovelha-guia que faz soar alto e ininterruptamente o sino da verdade! Você, mãe, precisa ser o primeiro modelo e a mestra da verdade para sua filha.

Bem, agradeça ao Senhor por ele não abandonar as mães à própria sorte. Essa não é uma missão impossível. Não, é uma missão possível. Deus sabe que a maioria das mães não tem diploma em pedagogia nem foi treinada para ensinar as crianças.

E — que maravilha! — Deus não espera nem exige isso de você! Ao contrário, Deus nos diz como ensinar e revela o que está envolvido nesse ensinamento. Ele ordena: *falarás sentado em casa e andando pelo caminho, ao deitar-te e ao levantar-te* (v. 7).

Não interessa quem você é ou o que conhece ou desconhece sobre ensinar — nem se você é uma pessoa muito ocupada! O Senhor espera que você derrame a Palavra de Deus de seu coração diretamente no coração de sua filha. Ou seja, que você fale! Tudo o que você precisa fazer é:

- *Passo 1*, amar o Senhor de todo seu coração.
- *Passo 2,* conservar a Palavra de Deus em seu coração.
- *Passo 3,* ensinar as verdades do Senhor de forma diligente.

"Como? Falar? Você quer dizer que isso é tudo? Só isso?" Isso mesmo, é só isso: falar.

Agora pergunto a você, mulher: Será que falar é algo tão difícil? Considere que nós, mulheres, somos especialistas quando se trata de falar!

E veja a observação de *onde* toda essa conversa de mãe e filha e ensinamento deve acontecer — *em casa*. Nada poderia ser mais fácil, mais natural ou mais conveniente que o *lar,* o *doce lar*! Você não precisa de planos elaborados. Não precisa vestir-se para ir a lugar nenhum. Não precisa pegar o carro. E não precisa gastar nenhum centavo. Não. Deus simplesmente determina que, *sentada em casa*, você deve falar dele.

Que maravilha! Mais uma vez — isso é fácil! Vocês duas se sentam para descansar. Sentam-se para comer. Sentam-se quando fazem uma visita. Sentam-se para ler. Sentam-se para trabalhar na confecção de alguma peça de artesanato. Sentam-se no carro para ir a algum lugar. Independentemente da idade de sua filha, essas ocasiões rotineiras em que vocês estão juntas são grandes oportunidades de falar sobre o Senhor, seu amor, suas promessas e seu Filho.

E, *andando pelo caminho*, você deve falar sobre o Senhor. Desde o nascimento até a hora em que o bebê dá os primeiros passos, e depois quando garotinha alcança a idade escolar, você sempre estará caminhando com sua filha. Esse é o momento especial para conversar sobre o Senhor.

Você tem um bebê recém-nascido? Então você caminhará... e caminhará... e caminhará toda vez que precisar acalmar sua garotinha que chora, que está doente ou inquieta. E caminhará quilômetros e quilômetros empurrando o carrinho em seus passeios de sol. E falará com ela como se você fosse um bebê. Eu ri em voz alta quando li esse gracejo sobre uma verdade relacionada à maternidade: "Ser mãe significa falar com seu bebê o tempo todo".[2] Siga em frente e fale tudo o que quiser. Assim você desenvolverá o hábito de falar, e sintonizará o coração de sua filhinha em sua voz.

E quanto à menina em idade escolar? Ao caminhar com sua jovem filha para a escola ou até o ponto de ônibus, você pode conversar sobre o Senhor. Conte a ela como Deus a ajudará nesse período na escola, nas provas ou relatórios, nas amizades. Se você tiver de caminhar até a caixa do correio ao final da rua, leve sua filha junto e converse com ela sobre as maravilhas do Senhor e o que significa conhecê-lo. Permita que ela saiba como pode confiar no Senhor e como pode conversar com ele a qualquer momento e em qualquer lugar, pedindo que ele a ajude. Quando você caminhar junto com ela até o mercado ou até o *shopping center*, mais uma vez aproveite a oportunidade para falar sobre Deus e suas provisões e bênçãos. Se vocês presenciarem algo de tirar o fôlego, como o nascer do sol, o pôr do sol, um arco-íris ou qualquer outra maravilha da natureza — o ninho de um passarinho, o desabrochar das flores ou algo tão minúsculo quanto um dente-de-leão ou uma formiga —, saiam de casa e maravilhem-se com as coisas feitas pelas mãos de Deus. E, enquanto estiverem diante dessa maravilha, façam conforme o salmista e "falem" sobre os feitos do Senhor. "Louvem" o Senhor por seus atos magníficos e poderosos e por sua grandeza. "Declarem" sua fidelidade.[3]

Depois vem a adolescência. Nessa época, assim esperamos, você e sua filha já desenvolveram o hábito de falar uma com a outra sobre tudo e qualquer coisa — e, em especial, sobre o Senhor. Portanto, durante a adolescência, quando as coisas se tornarem um pouco estranhas, você ainda poderá falar por causa do histórico de conversas anteriores com sua filha. Acredite em mim: se você estiver disponível, e cuidar de sua filha, e der a ela amor e atenção, ela acabará por demonstrar tudo isso de volta!

Mas, se você não tiver desenvolvido esse hábito de conversa no passado, não se preocupe e não desista. Apenas certifique-se de que você começará a fazer isso hoje. Comece a conversar, mesmo que sua filha pareça não estar ouvindo. Ela *está* ouvindo, e o que você diz com sabedoria amorosa *encherá* a mente e o coração dela. E não a abandonará. Ela não conseguirá se livrar nem se esquecer disso. Retire sua força do Senhor e fale a verdade em amor (v. Efésios 4:15). E, se sua filha não conversar com você, tudo bem. Apenas certifique-se, diante de Deus, de que está falando, exatamente como ele a instruiu a fazer. Você está fazendo soar com fidelidade seu sino de ovelha-guia. Está compartilhando a verdade da Palavra de Deus com sua filha. E reconforte-se no fato de que Deus promete que sua Palavra não voltará vazia, *mas cumprirá com êxito o propósito da sua missão* (Isaías 55:11).

Sua casa — 24 horas por dia, 7 dias da semana, da manhã até a noite — é o lugar natural para você gravar a verdade de Deus na vida da sua filha.

Ainda em Deuteronômio 6:7, Deus lhe diz como terminar cada dia e começar o seguinte: *ao deitar-te e ao levantar-te*, fale! *Fale* sobre o Senhor e continue falando sobre ele. Você pode ajudar até mesmo sua filha pequena a começar e terminar o dia com pensamentos sobre Deus. Pode saudar sua filha, anunciando: *Este é o dia que o Senhor fez; vamos nos regozijar e nos alegrar nele* (Salmos 118:24). Ou pode clamar ao nascer do dia: "Bom dia, minha preciosa bênção de Deus!". E, à noite, a oração é a forma perfeita para colocar uma menina pequena — e as grandes também — na cama. Isso fará sua filha descansar de tudo o que aconteceu durante o dia. Acalmará todas as tristezas e aliviará todas as feridas. E mitigará todos os temores. Conforme Davi testemunhou: *Eu me deito, durmo e acordo, pois o Senhor me sustenta* (Salmos 3:5) e *Em paz me deito e durmo, porque só tu, Senhor, fazes com que eu viva em segurança* (Salmos 4:8).

Outra tarefa de Deus para toda mãe é ensinar constantemente sua filha e conversar com ela sobre o amor de Deus. Ensinar e conversar. E conversar e ensinar. Ou, colocando de outra forma, fazer o sino de ovelha-guia soar! Espero que você já tenha aprendido que ser uma mãe cristã representa muito mais que apenas levar sua filha à igreja. A casa também é um tipo de igreja. Sua casa — 24 horas por dia, 7 dias da semana, de manhã até a noite — é o lugar natural para você gravar a verdade de Deus na vida da sua filha. É em casa que ela consegue ver e ouvir todos os dias quanto o Senhor é importante para você. Sempre e onde quer que vocês duas estejam juntas, essa é uma oportunidade de Deus para você falar à sua filha sobre o Senhor. Portanto, aproveite esses momentos. E, se forem poucos e distantes uns dos outros, faça-os acontecer. Crie oportunidades em que vocês possam ficar juntas. Tedd Tripp, em seu livro *Pastoreando o coração da criança,* apresenta aos pais o seguinte desafio:

Você pastoreia seu filho em nome de Deus. A tarefa que Deus designou para você não é algo que você pode desempenhar em horários pré-agendados e convenientes para você. É uma tarefa penetrante e difusa. Treinar e pastorear são tarefas contínuas que acontecem sempre que está com seus filhos. Independentemente do momento: ao levantar, ao caminhar, ao conversar ou ao descansar, você deve estar envolvida em ajudar seus filhos a compreender a vida, a eles mesmos e às suas necessidades da perspectiva bíblica.[4]

MAS, E SE...

Percebo que esse cenário ideal não acontece em todo relacionamento mãe/filha. Talvez a família em que você cresceu não seja cristã. Deus conhece sua história. Conhece todos os detalhes de sua vida — tudo o que você perdeu, tudo o que você sabe e o que não sabe sobre ter uma família cristã e sobre ser uma mãe cristã. Portanto, esteja certa de que sua missão é *começar no ponto em que você se encontra* em seu caminho com o Senhor. Nunca é tarde para receber Cristo como Salvador, para começar amar o Senhor e para crescer na graça e no conhecimento dele e de sua Palavra. Você pode escolher qualquer dia — hoje mesmo, se ainda não fez isso — para começar a ensinar com diligência a filha que você ama, e para conversar com ela sobre o Deus que você ama e que também a ama. Direcione-a para Deus. Encoraje-a no Senhor. Ensine a ela o que você conhece sobre o Senhor, a partir de sua experiência e de seu estudo. Ore por ela a cada batida de seu coração. Observe o crescimento espiritual de sua filha até que ela se torne uma menina segundo o coração de Deus, pois esse é o chamado de Deus para você, é a missão e tarefa que ele lhe entregou. Comprometa-se a fazer sua parte e confie que Deus fará a parte dele.

Talvez você esteja pensando: *Essa mulher é louca!* Bem, eu não culparia você por esse pensamento. Mas respondo: sou louca por

Deus, louca por minhas filhas e louca por minhas netas. Também afirmo que sou apaixonada e apaixonadamente entregue ao meu papel de mulher, mãe e avó segundo o coração de Deus. É tão claro o que Deus quer que as mães sejam e façam! Sua filha não tem nenhuma outra mãe. *Você* é aquela que Deus escolheu para ensiná-la. Se você não fizer isso, será que alguém mais o fará?

A seguir, uma poderosa descrição daquilo que se assemelha ao amor pleno e absoluto por Deus e por nossas filhas. Permita que isso encoraje você hoje e nas décadas de maternidade que ainda virão:

> [...] Minha missão é clara. Não posso ser comprada, fazer concessões, sair do rumo, aceitar engodos, voltar atrás, suavizar minha tarefa nem me atrasar. Não piscarei nem vacilarei diante do sacrifício, não hesitarei diante da adversidade. [...] Não desistirei, não calarei nem diminuirei o passo.[5]

Você pode!

A seguir, reunimos algumas sugestões que podem contribuir para que você se torne a mãe que sonha ser. Cada uma delas ajudará você a melhorar sua vida... e a de sua filha também.

Analise seu dia

Pondere sobre seu ritmo diário e separe um tempo livre, um período em que você possa escolher o que fazer. Sempre há tempo para fazer o que é importante. Você precisa encontrar tempo para conhecer a Deus — para colocar em primeiro lugar o que realmente deve estar em primeiro lugar.

Planeje momentos de quietude

Assim que separar um momento especial para ficar com Deus, comece a ler a Bíblia — mesmo que seja por apenas 10 minutos. Se alguém ler a Bíblia apenas 10 minutos por dia, conseguirá lê-la inteirinha em 1 ano. Essa é uma tarefa factível para você que age como a ovelha-guia, e cujo objetivo na vida é levar sua filha a Jesus. Muitas outras atividades preenchem seu dia. Portanto, separe 10 minutos de alguma atividade sem importância, como o tempo que você gasta na Internet, conversando ao telefone ou assistindo à televisão. Marque um encontro diário com Deus e permita que ele fale ao seu coração a partir da Palavra.

Memorize as Escrituras

Uma estatística para você; as pessoas se lembram de 40% de tudo o que leem. Não seria ótimo que se lembrassem de 100%? Bem, você pode memorizar os versículos da Bíblia. Foi esse o conselho que alguém me deu assim que me converti, e eu segui esse conselho. Conforme já compartilhei anteriormente, assim que li Deuteronômio 6:5-7, decorei a passagem. Também selecionei alguns versículos que me ajudariam no dia a dia, incluindo o desafio diário de ser uma mãe segundo o coração de Deus. Algo como: *Posso todas as coisas naquele que me fortalece* (Filipenses 4:13). Assim que você guardar alguns versículos em seu coração, descobrirá que, onde quer que você vá e independentemente do que estiver acontecendo, você conseguirá se lembrar das palavras de Deus para você. E, como a ovelha-guia, você poderá levar sua filha a Jesus, à medida que transmitir a Palavra de Deus para ela.

Leia sobre educação dos filhos

Em meu ministério de mentoria, uma das minhas tarefas que dou às mulheres com quem me encontro e a quem dedico meu tempo é que leiam 5 minutos por dia sobre uma variedade de tópicos. Elas podem escolher os temas e as fontes de leitura.

Podem comprar livros, pedi-los emprestado ou lê-los na biblioteca. Faço isso porque, há décadas, venho lendo vários tópicos durante 5 minutos por dia. Por exemplo, tenho lido 5 minutos por dia sobre o casamento e a família, e esse tempo parece uma eternidade. O mesmo é válido para a administração do tempo e da vida diária. E também para a saúde.

Se você fizer isso também, ficará surpresa em como se transformará em uma especialista nos assuntos de seu interesse, lendo apenas durante 5 minutos por dia sobre determinado tema. Você também se sentirá extremamente motivada porque o tópico e seu novo conhecimento a respeito dele permanecerão avivados em sua mente. Em vez de temer algo, você ansiará por se aproximar mais desse assunto e experimentará algumas novas técnicas ou métodos. Sua leitura serve como um lembrete das áreas da vida nas quais você planeja crescer.

Escreva uma carta para Deus sobre sua filha

Depois de escrever, leia a carta para o Senhor, como se fosse uma oração. A oração envolve Deus. Portanto, agora, ele e você estão assumindo o desafio de educar uma filha segundo o coração de Deus. Isso selará seu compromisso para se tornar o tipo de mãe que Deus quer que você seja; e, se o Senhor assim desejar, e por sua graça, sua filha crescerá até ser o tipo de garota de Deus. Guarde essa carta à mão, assim você poderá fazer com frequência a "Oração para ser uma mãe segundo o coração de Deus". Esse é outro bom lembrete diário para que você prossiga em seus objetivos, como mãe, e em suas metas para sua filha. Outra ideia é esta: todos os anos, no aniversário de sua filha, coloque uma cópia de sua oração no cartão de aniversário dedicado a ela. Certifique-se de contar-lhe onde você estava e o que sentia quando escreveu essa oração. Que belo presente!

O bloco de reflexões maternas

Antes de seguir para sua próxima missão de mãe, separe 1 ou 2 minutos para refletir sobre como você pode manter-se alinhada com Deus. Planeje alguns poucos passos que farão uma grande diferença em sua vida e na vida de sua filha:

1. Estou muitíssimo ocupada, mas quero ser a mãe que Deus quer que eu seja! Quais são as várias coisas que posso fazer — ou não fazer —, a fim de separar algum tempo dedicado a me aprofundar na Palavra de Deus? Quero ser uma mãe segundo o coração de Deus!

   _____

   _____

   _____

   _____

2. Quero estabelecer o objetivo de memorizar Deuteronômio 6:5-7. Meus desafios:
   - Escrever esses versículos em um cartão e carregá-lo comigo.
   - Separar 5 minutos por dia durante os quais possa memorizar esses versículos.
   - Escrever os versículos 10 vezes.
   - Copiar esses versículos em vários outros cartões e fixá-los na porta do refrigerador, no espelho do banheiro, no computador e no painel do carro.
   - Pedir à minha filha que me ajude a memorizar esses versículos, que me ouça recitá-los, que seja minha audiência, minha melhor auxiliar!

3. Quais são alguns dos momentos em que posso "ensinar" à minha filha sobre Deus e sua Palavra? Ao "falar" sobre o Senhor...
   - ... quando estamos sentadas juntas?
   - ... quando estamos conversando?
   - ... quando ela vai dormir ou tirar uma soneca durante o dia?
   - ... quando acorda?

   _____

   _____

4. Quais são alguns dos meios pelos quais posso ser mais fiel e "diligente" em transmitir a verdade de Deus para minha filha?

   _____

   _____

   _____

5. Será que preciso de mentoria em meu crescimento espiritual? Quem poderia me ajudar? Existe algum curso que eu possa fazer? Um livro que eu possa ler?

   _____

   _____

   _____

   _____

capítulo 2

A GUERREIRA DE ORAÇÃO

Parte 1: Lembrando-se de orar

Até agora nada pedistes em meu nome. Pedi, e recebereis,
para que a vossa alegria seja plena.

— JOÃO 16:24

Aqui está uma verdadeira confissão: demorei cinco anos para finalmente concordar em escrever este livro sobre educar filhas para seguirem a Deus. Cada vez que pensava no assunto, eu me acovardava.

Bem, se você estiver lendo este livro, sabe que, obviamente, me arrisquei às cegas. Mesmo depois de aceitar formalmente o convite e começar a orar diariamente sobre como abordar o tema "educação de filhas", admito que tive algumas dúvidas e hesitações — na verdade, muitas! Questionei minha experiência, como mãe de duas crianças — duas filhas. A educação dos filhos não é perfeita, mas, em geral, é feita com amor incomensurável... e esperança.

Na verdade, a sabedoria e a percepção que mais me encorajaram quando eu era uma jovem mãe, sem a menor ideia de como educar minhas filhas, talvez tenham vindo de Jim, meu marido e pai de nossas filhas. E foi compartilhada por outro pai. Fui extremamente abençoada por estar presente quando o amigo de Jim compartilhou a ideia. Então, abracei essa mensagem enquanto minhas filhas ainda eram pequenas e moravam em casa. E pode adivinhar o melhor? Ainda encontro conforto naquelas sábias palavras. O mentor de Jim disse: "O plano da cruz é o parâmetro quando se trata da educação das crianças".

36 Educando filhas segundo o coração de Deus

Esse pai experiente prosseguiu, a fim de explicar que aprendera a não julgar os outros pais, porque o caminho é árduo para todas as mães e todos os pais. Educar filhos é um imenso desafio! Ele também disse que os resultados finais jamais são totalmente evidentes, porque Deus está na equação — e só o tempo revelará o resultado do nosso trabalho, totalmente entrelaçado com a soberania e a graça de Deus. Independentemente de qual seja a realidade, estejam os mares agitados ou tenhamos um céu de brigadeiro, todos os pais precisam de Deus, e, com Deus, todas as coisas são sempre possíveis.

Você sabe o que isso quer dizer, não é mesmo? Significa que você e eu, como pais, sempre devemos orar por nossos filhos, independentemente da idade ou do estágio da vida em que eles se encontram. Na realidade, essa é outra "missão para as mães" designada por Deus. Devemos ser guerreiras de oração, batalhando totalmente por meio da oração em favor de nossas preciosas filhas e preciosos filhos.

ORAÇÕES PARA RECORDAR

Bem, acredite em mim: continuei a orar após ter aceitado o convite para escrever este livro. De fato, a frequência e o fervor de minhas conversas com Deus aumentaram dramaticamente. Talvez a primeira oração a brotar em meu coração tenha sido: "Ó Senhor, ajude-me a recordar! Faz algum tempo que já criei minhas filhas, enfrentando a labuta diária. Ajude-me a recordar aqueles primeiros dias em que os bebês começam a andar, as crianças se tornam meninas... e garotas vão para a escola... e a seguir vem a adolescência... e depois a idade adulta".

Minha cara companheira, o tempo verbalizado em minha oração cobre várias décadas de maternidade. Enquanto eu caminhava de cá para lá e orava, uma resposta brilhou em minha mente: "Elizabeth, leia todos os seus antigos diários de oração!

Está tudo ali. Você tem um registro das coisas pelas quais orava quando suas filhas ainda moravam em casa".

E foi exatamente o que eu fiz. Meus anos de registro de pedidos de oração — e as respostas a eles — mostravam exatamente o que estava acontecendo na vida de minhas duas filhas, em cada estágio de seu desenvolvimento. E o meu bloco de oração também revelou o que acontecia em minha mente e coração. Só no segurar o caderno de oração fui movida a, mais uma vez, dar graças a Deus por sua disponibilidade e impressionante abertura em poder falar com ele. E, por meio da oração, consegui ouvir enquanto ele sussurrava encorajamento, compartilhava sua sabedoria e trazia à luz seu amor por mim — e por minhas filhas.

Agradeço por ter um lugar e uma Pessoa aos quais pude endereçar minhas preocupações, frustrações, falhas e necessidades quando ainda era uma jovem mãe. A oração transformou-se em um santuário silencioso. Fazer uma pequena pausa, durante a qual eu podia deixar de lado as preocupações e a agitação da vida para orar, era e ainda é um passo que me acalma. É um período separado para inspirar... e expirar, para concentrar a atenção em um único foco — Deus, e só Deus. Sempre penso nesse passo da mesma forma com que o salmista se refere a cultuar *o Senhor com alegria* e apresentar-me *a ele com cântico* (Salmos 100:2).

Sim, eu sei que sempre estamos na presença do Senhor. Sei que ele é onipresente, está em todos os lugares o tempo todo. E sei que não fico longe de sua presença cuidadosa e amorosa nem por um segundo sequer. Estamos sempre diante dele, próximas a ele. Mas fazer uma pausa de fato e entrar em sua presença, avançando com confiança até seu *trono da graça* (Hebreus 4:16), é algo que traz ao mesmo tempo paz e poder.

E você também pode ter esse surpreendente recurso de "Deus com você". Ele sempre está ali, está sempre à espera,

38   Educando filhas segundo o coração de Deus

sempre pronto a ouvir, perdoar, aconselhar. Está sempre disponível para confortar, encorajar, instruir, fortalecer e guiar. Quer você queira derramar seu coração, quer precise manifestar suas emoções, quer apenas necessite ser exortada, vá até Deus. E não se esqueça de registrar suas orações e as respostas a elas. Você acha que não se esquecerá, mas escreva-as assim mesmo. Faça conforme o salmista nos aconselha: *Ó minha alma, bendize o Senhor, e não te esqueças de nenhum dos seus benefícios* (Salmos 103:2). Quem sabe um dia no futuro você poderá ler seu livro de lembranças e recuperar suas experiências com Deus e as surpreendentes respostas às suas orações?

DEZ RAZÕES PELAS QUAIS AS MÃES NÃO ORAM

Com a oração sendo tão importante para nós, mães, e para as filhas que queremos educar segundo o coração de Deus, você não acha que deveríamos orar muito mais do que fazemos? Já tentou descobrir por que você não ora mais? Tenho certeza de que já pensou nisso. E eu também. Na verdade, ao examinar meu coração e minha vida de oração, descobri algumas razões — e desculpas — para não orar. Esta é a minha lista. Talvez você se identifique com ela ou possa adicionar alguns outros motivos!

1. *Agitação.* Seus dias estão repletos de atividades diárias, enquanto a oração é uma atividade espiritual. A solução? Por ser tão ocupada, você precisa planejar e criar um cronograma para o que é realmente importante. Exatamente como Davi fez: *Ó Senhor, de manhã ouves minha voz; de manhã te apresento minha oração e fico aguardando* (Salmos 5:3). Levar a vida e o coração de sua filha a Deus é prioridade número 1 que merece tempo — até mesmo a primeira hora do dia — investido na atividade espiritual da oração.

2. *Mundanismo. Você vive* "no mundo", e este tende a pressionar você — e sua filha! — contra um molde, enquanto a

oração é um exercício espiritual. A solução? Dê as costas para o mundo. *Não ameis o mundo nem o que nele há.* [...] *Porque tudo o que há no mundo* [...] *não vem do Pai, mas sim do mundo* (1João 2:15,16). Em vez disso, ore e busque *as coisas de cima, onde Cristo está assentado à direita de Deus. Pensai nas coisas de cima e não nas que são da terra* (Colossenses 3:1,2).

3. *Insensatez.* Sempre que fica extremamente desgastada com o que é insensato, trivial e sem sentido, você falha em orar. Começa a perder a habilidade de conhecer a diferença entre o que é bom e o que é mau; entre o que é essencial e o que tem pouco valor eterno. Tudo se transforma em uma "área cinza", que não requer oração. Ou, pelo menos, é isso o que você pode achar! A solução? *Mas buscai primeiro o seu reino e a sua justiça, e todas essas coisas vos serão acrescentadas* (Mateus 6:33).

4. *Distância.* Você não tem a menor dificuldade de conversar com suas amigas, seus familiares e seus colegas de trabalho. Mas e quanto a conversar com alguém fora de seu círculo? Sem chance — nem pensar! É a mesma coisa que acontece quando se trata de conversar com Deus. Quando você não conhece a Deus muito bem, não se sente confortável em falar com ele. E o que ele está dizendo a você? *Vinde a mim* (Mateus 11:28)! *Achegai-vos a Deus, e ele se achegará a vós* (Tiago 4:8).

5. *Ignorância.* Você não faz a menor ideia de como funciona a oração. E não compreende nem apreende a bondade e o poder de Deus, tampouco a habilidade do Senhor de prover para nós *além do que pedimos ou pensamos* (Efésios 3:20). Portanto, você não ora. A solução? Seja mais fiel em seu aprendizado sobre o Senhor, na Palavra de Deus, e memorize várias das promessas que ele fez — por exemplo: *O meu Deus suprirá todas as vossas necessidades, segundo sua riqueza na glória em Cristo Jesus* (Filipenses 4:19).

40 Educando filhas segundo o coração de Deus

6. *Pecaminosidade*. Você não ora porque sabe que fez algo errado, algo que não agrada a Deus, algo que vai contra sua Palavra. A solução? Manter em dia sua prestação de contas com Deus. Lide com quaisquer questões ligadas ao pecado à medida que surgirem — de imediato — no momento exato em que você escorrega e falha. Siga o conselho de João e confesse seus pecados. O resultado? Deus perdoa e purifica você (v. 1João 1:9). Quando o rei Davi, cerca de um ano depois, finalmente confessou a Deus seu pecado com Bate-Seba, as comportas da comunhão com Deus se abriram mais uma vez. Recuse-se a permitir que o pecado se transforme em uma barreira que impeça você de orar por sua filha.

7. *Incredulidade*. Você não acredita de fato no poder da oração. Não acha que orar faz alguma diferença. Portanto, não ora. A solução? Lembre-se de que a fé do tamanho de um grão de mostarda tem o poder de mover montanhas (v. Mateus 17:20) — as suas e as de sua filha!

8. *Orgulho*. A oração mostra sua dependência de Deus. Quando você falha em orar, está na verdade dizendo que não tem necessidades. Ou, pior ainda, está declarando: "Não, obrigada, meu Deus. Já tenho tudo aquilo de que preciso. Estou bem. Tomarei conta de mim mesma. Sua ajuda não é necessária". A solução? Jesus apresenta da seguinte forma: [...] *porque sem mim nada podeis fazer* (João 15:5) — incluindo educar sua filha segundo o coração de Deus.

9. *Inexperiência*. Não oramos porque... não oramos! E, porque não oramos, não sabemos como orar... portanto, não oramos. Somos como o cão que corre atrás do próprio rabo. A solução? Comece... e comece agora! Jesus disse o seguinte: *Pedi, e recebereis, para que a vossa alegria seja plena* (João 16:24). Ele apresenta a você uma fórmula simples: peça,

busque e bata: *Pedi, e vos será dado; buscai, e achareis; batei, e a porta vos será aberta* (Mateus 7:7). E, em Jeremias 33:3, Deus instrui você a fazer o seguinte: *Clama a mim, e te responderei, e te anunciarei coisas grandes e inacessíveis, que não conheces.*

10. *Preguiça.* Você está cansada. Muiiiiiiito cansada. Extremamente cansada! Mas reservará um tempo para a oração mais tarde, certo? No entanto, você jamais encontra tempo para orar. A solução? Espere no Senhor. Ore! Para as pessoas que oram, Deus promete que elas *renovarão suas forças; subirão com asas como águias; correrão e não se cansarão; andarão e não se fatigarão* (Isaías 40:31). Você consegue usar algum desses poderes? Então, sabe o que deve fazer — orar!

SUA FILHA PRECISA DAS SUAS ORAÇÕES

Tenho certeza de que essa lista de motivos para não orar não é novidade para você. Provavelmente, não estou dizendo nada que você desconheça. Você sabe que deve orar e sabe também que precisa orar por tudo o que está acontecendo em sua vida. Uau! Como mãe, precisa desse refúgio! Mas sua filha precisa de suas orações também. Você é a pessoa mais próxima dela. Isso é natural. E também significa que você, mais que qualquer outra pessoa (junto com Deus, é claro), conhece melhor o que atormenta sua preciosa menina. Você é a pessoa com mais compreensão a respeito dos desafios que ela enfrenta, dos problemas que ela precisa superar no campo das amizades, maiores dos sonhos e dos principais temores de sua filha.

Sua filha, desde o primeiro ano de existência, busca você com os braços estendidos, querendo dizer: "Pegue-me no colo. Tenho uma necessidade". Alguns anos mais tarde, ela corre até você quando sente medo, quando se machuca ou quando

42　Educando filhas segundo o coração de Deus

se empolga com algo maravilhoso e quer compartilhá-lo com você. Chegando a época de ir para a escola, ela mal pode esperar o momento de voltar para casa e compartilhar suas experiências com você. O final do ensino fundamental e a conclusão do ensino médio representam oportunidades de conversar sobre tudo o que acontece debaixo do sol — desde namorados, roupas e maquiagem até drogas e sexo; desde o primeiro trabalho e o planejamento da carreira até os objetivos e receios em relação ao futuro. E, em cada época, o laço entre mãe e filha pode aprofundar-se, enquanto você está ao lado dela durante as experiências de paquera e namoro. E, se essa for a vontade de Deus, você e ela estarão juntas também durante o período do noivado, o planejamento do casamento e o nascimento dos netos.

COMO VOCÊ ENCARA SUA VIDA DE ORAÇÃO?

Bem, estou amando recordar todos esses períodos e muitos outros. Mas é hora de parar de pressionar o botão de avanço rápido. Mãe, vamos conversar sobre como uma filha de qualquer idade precisa de suas orações em todas as áreas de sua doce e árdua vida. Em suma, sua filha precisa que você seja uma mãe que ora. Independentemente dos motivos que você ache que tem para não orar, afaste quaisquer desculpas e seja uma mãe que ora. Considere a oração seu único privilégio e também sua maior responsabilidade. A oração não é uma tarefa doméstica, mas exige decisão e tempo. E não é um trabalho; é uma missão. Não é algo opcional. É algo essencial. E saiba por quê.

A oração não é uma tarefa doméstica, mas exige
decisão e tempo. E não é um trabalho; é uma missão.

Para começar, encare sua responsabilidade de orar como um triângulo. Você, mãe, está representada pelo ponto no canto inferior esquerdo:

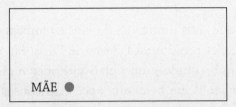

No canto inferior direito, está sua filha:

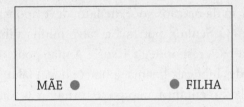

Acima de você e de sua filha — e sempre no centro — está Deus:

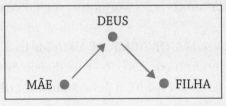

Agora começa a guerra, enquanto você luta desesperadamente contra as forças do mal por meio da oração. Há coisas importantes que você quer para sua filha e que merecem sua árdua e intensa batalha em oração para que ela:

- Venha a acreditar em Cristo.
- Deseje seguir a Jesus.
- Cresça espiritualmente.
- Reflita Jesus em seu caráter.

44   EDUCANDO FILHAS SEGUNDO O CORAÇÃO DE DEUS

- Escolha pessoas cristãs como melhores amigas e amigos.
- Deseje casar-se com um homem cristão.
- Case-se com um homem cristão.

Acredito que cada um desses desejos é também o que Deus quer, porque eles provêm da Palavra de Deus. Na realidade, o Senhor deseja isso tudo muito mais que você mesma. Há, no entanto, um problema evidente: você não consegue que sua filha faça nenhuma dessas coisas. Não consegue nem mesmo que ela queira fazê-las. Então você apresenta seus apelos a Deus por meio da oração. Você, de fato, deve apontar para sua filha e orar: "Ó Senhor, por favor, salve minha filha. Mova o coração dela para responder a Jesus". A mãe pode (e deve) viver as verdades bíblicas. E a mãe pode (e deve) falar sobre essas verdades. Ela, no entanto, não pode tornar as verdades espirituais uma realidade na vida de sua filha. Apenas Deus está no comando dessa realidade. Só ele pode fazer isso acontecer. Só ele pode mover um coração. Portanto... uma mãe precisa orar.

A MAIOR ARMA DE UMA MÃE

Uma mãe segundo o coração de Deus dispõe de uma grande arma em sua batalha espiritual pelo coração da filha: ela pode orar, e orar, e orar um pouco mais. Pode ser como a viúva que Jesus elogiou em uma de suas parábolas. A viúva apresentou-se diante do juiz repetidas vezes por causa de uma questão pessoal. O juiz estava relutante em ajudá-la, mas a mulher persistiu. Por fim, o juiz deu o que ela pedira, pensando: [...] *como esta viúva está me incomodando, vou fazer-lhe justiça, para que ela não venha mais me perturbar* (Lucas 18:5). Jesus acrescenta: *E Deus não fará justiça aos seus escolhidos, que dia e noite clamam a ele, mesmo que pareça demorado em responder-lhes? Digo-vos que depressa lhes fará justiça* (v. 7,8).

Essa passagem é rica em significado. Mas uma das mensagens mais importantes de Jesus para você, mãe, é: assim como a viúva persistente, você precisa ser constante em orar e apresentar suas preocupações em relação à sua filha. Persista em oração — por décadas! Acredite que Deus ouve, e Deus responderá. Não desista jamais; continue pedindo. Nosso Pai amoroso, compassivo e maravilhoso ouve de fato nossas orações e nosso clamor por ajuda. E ele responderá.

Então implore a ele. Batalhe em oração. Humilhe-se diante do único que pode fazer a diferença, o único que pode mudar um coração. Apresente sua preocupação, sua petição, seu apelo. Continue buscando a presença do Deus todo-poderoso. Continue pedindo, buscando e batendo. Reconheça que ele, e só ele, pode realizar o crescimento e a transformação espirituais que você está pedindo — que você está implorando! — em favor de sua amada filha.

E, voltando ao triângulo que examinamos anteriormente, a oração envolve...

- Uma mãe que deseja desesperadamente algo para sua filha, mas não pode fazer isso acontecer.
- Uma filha que precisa desesperadamente do que sua mãe deseja, mas que pode até mesmo nem querer isso.
- O Deus amoroso e todo-poderoso, o único que pode fazer isso acontecer.

VOCÊ ESTÁ PRONTA PARA O DESAFIO?

Não consigo imaginar uma mãe que tenha separado tempo para ler este livro e que não faria praticamente qualquer coisa por sua menina. E sei que você é uma dessas mães cuidadosas, certo? Bem, o que estou prestes a pedir não é material. Não peço para você comprar nada para sua filha. Isso é fácil e, infelizmente, essa é a forma pela qual a maioria dos pais

EDUCANDO FILHAS SEGUNDO O CORAÇÃO DE DEUS

demonstra seu amor pelos filhos. Não é isso. Eu lhe pergunto: Você está pronta para aceitar o desafio? Está pronta para o desafio de ser uma guerreira de oração em favor de sua filha? Então busque no capítulo seguintes as orientações para se tornar uma guerreira de oração. Antes, porém, leia o poema a seguir. Depois ore, pedindo que Deus a transforme nesse tipo de mãe — uma mãe que ora persistentemente por sua filha.

Uma mãe que ora por mim

Alguns têm reis em sua linhagem;
Outros, alguém que foi honrado.
Não tenho nobres em meus ancestrais — mas
Minha mãe ora por mim.

Minha mãe ora por mim
E pede ao Senhor todos os dias por mim.
Oh! que diferença isso faz em minha vida! —
Minha mãe ora por mim.

Alguns têm sucesso neste mundo
E confiam nas riquezas que amealharam —
Mas esta é a vantagem mais certa:
Minha mãe ora por mim.

As orações de minha mãe não podem me salvar,
Só posso me beneficiar das minhas;
Mas minha mãe me apresentou a Alguém,
Alguém que nunca falha.

Ah, isso mesmo... minha mãe ora por mim
E pede por mim ao Senhor todos os dias.
Oh! que diferença isso faz em minha vida! —
Minha mãe ora por mim.

A GUERREIRA DE ORAÇÃO

Parte 2: Preparando-se para a batalha

> [...] *pois não é contra pessoas de carne e sangue que temos*
> *de lutar, mas sim contra principados e poderios, contra*
> *os príncipes deste mundo de trevas, contra os exércitos*
> *espirituais da maldade nas regiões celestiais.*
>
> — EFÉSIOS 6:12

O que estou fazendo aqui? — pensei. *Como isso aconteceu? Jamais imaginei que experimentaria algo assim!*

Mas lá estava eu, de pé e sem fôlego, depois de fazer a trilha do longo e íngreme caminho que leva ao platô de Masada. Essa antiga fortaleza dos judeus em Israel contempla o mar Morto cerca de 400 metros abaixo. Escalei — junto com um grupo de seminaristas liderados por Jim, meu marido —, até o topo desse lugar histórico. Jim já me convidara para ir a Israel com ele com um grupo de estudantes. Eles passaram a conhecer melhor a história bíblica. Meu propósito, porém, era conhecer a terra e o contexto em que habitava a mulher de Provérbios 31. Se você já leu meu livro *Bela aos olhos de Deus*,[1] sabe que descobri algumas coisas sobre as raízes dessa mulher, que me fizeram reconhecer que ela era realmente maravilhosa.

Um dos fatos mais interessantes sobre essa mulher é que ela é descrita como *mulher virtuosa* (cf. Provérbios 31:10). O termo "virtuosa" é usado mais de 200 vezes na Bíblia, para descrever um exército. É empregado em referência a homens de guerra e a

48 EDUCANDO FILHAS SEGUNDO O CORAÇÃO DE DEUS

homens preparados para guerrear. E também é aplicado de forma muito apropriada em Provérbios 31, pois essa mulher é uma guerreira quando se trata de resistência mental e energia física.

O QUE VOCÊ PRECISA FAZER PARA SE TORNAR UMA GUERREIRA DE ORAÇÃO?

Leia as palavras de Efésios 6:12, citação que aparece na primeira página deste capítulo, tendo em mente a mulher e mãe de Provérbios 31. Encontre seu inimigo — e o inimigo de sua filha! A oração não é apenas algo bom para você, como mãe. Não existe apenas para lhe dar uma vaga sensação de aconchego. Não, é uma guerra contra os poderes das trevas e do mal. Portanto, permita-me perguntar-lhe: O que você faria ou de que abriria mão para se tornar uma guerreira de oração eficaz em favor de sua filha? Para ser uma guerreira que batalhe pela vida e pela alma de sua filha, é preciso que você faça duas coisas de imediato.

Guarde seu caminho com Deus

Primeiro, você precisa guardar seu caminhar com Deus. Com isso, quero dizer que uma mãe segundo o coração de Deus precisa estar disposta a abrir mão de tudo o que não agrada ao Senhor, de tudo o que seja contrário à sua Palavra, de todos os pecados de qualquer tipo ou tamanho. Pecado é pecado no plano de Deus — por menor ou maior que seja na escala humana — e ponto final. O pecado interrompe seu caminhar com o Senhor, sua comunicação com ele, sua comunhão com ele e sua habilidade de orar de forma eficaz por sua filha. Deus pede que o amemos e obedeçamos a ele primeiro e, então, poderemos pedir a ele, em oração, por aquilo que é importante.

Jamais me esquecerei do dia em que percebi que não podia entrar na presença de Deus se as coisas não estivessem corretas em meu caminhar com ele. Ficou muitíssimo claro que eu não poderia pedir nada antes de lhe pedir perdão. Só depois eu poderia pedir a ajuda do Senhor em relação às minhas filhas.

Vemos na Bíblia, de capa a capa, como nosso caminhar com Deus é fundamental. Em Tiago 4:8, ele nos instrui a abandonarmos todo o pecado, a limparmos nossas mãos e nossa vida do pecado e a purificarmos nosso coração. Em suma, ele nos exorta a não orarmos, a menos que estejamos dispostas a obedecer ao Senhor. O salmista conhecia esse princípio. Ele reconheceu: *Se eu tivesse guardado o pecado no coração, o Senhor não me teria ouvido* (Salmos 66:18). E Salomão apresenta essa ideia da seguinte maneira: *Até a oração de quem se desvia de ouvir a lei é detestável* (Provérbios 28:9).

Um estudioso explica: "Se recusamos a nos arrepender, se acolhemos e acalentamos alguns milagres, então um muro é posto diante de nós e Deus. [...] Nossa atitude em relação à vida deve ser de confissão e obediência".[2]

Mas temos boas-novas! Se o desejo do nosso coração é seguir a Deus em nosso caminhar zeloso com ele, o Senhor se deleita em ouvir nossas orações. O apóstolo Pedro assegura-nos que *os olhos do Senhor estão sobre os justos, e os seus ouvidos, atentos à sua súplica* (1Pedro 3:12).

E outro ensinamento me tocou (e fico muito feliz por isso). Um de meus antigos pastores procurava constantemente lembrar à sua congregação: "Abandone seus pecados favoritos. Coisas maiores estão em jogo". Uau! Coisas maiores estão em jogo, como a salvação de minhas filhas e as escolhas que elas fazem! Quando nós, mães, não temos um relacionamento correto com o Senhor, é possível que o relacionamento da nossa filha com Deus sofra, porque não conseguimos orar com eficácia por ela. Nosso pecado nos desqualifica como guerreiras de oração. O pecado silencia nossa voz e esvazia os pedidos

Separe um tempo

Em segundo lugar, ser uma guerreira poderosa para sua filha exige que você separe um tempo para isso. É absolutamente verdade que tudo o que é importante para nós exige nosso tempo e nossa atenção. E orar por nossa filha é definitivamente prioridade máxima. Ela é sua carne e seu sangue, tão próxima de ser seu clone quanto qualquer coisa ou pessoa possa ser. Portanto, você precisará separar algum tempo para aquilo que é essencial — ou seja, orar por sua filha. De alguma forma, em algum lugar, você precisa achar tempo. A Bíblia se refere a essa troca de coisas menores por coisas maiores como aproveitar *bem cada oportunidade* (cf. Efésios 5:16).

Deus deu a você um "período" determinado durante o qual sua filha viverá debaixo do mesmo teto e sob suas asas, e esse tempo passa muito rápido! Portanto, aproveite-o da melhor forma possível. E isso inclui separar tempo para orar por ela.

Veja um rápido exercício que você pode realizar para que isso aconteça — é algo que faço quase todos os dias. Pense em quanto tempo você gasta assistindo ao noticiário ou a seu programa favorito na televisão. E o que dizer do tempo que você gasta fazendo exercícios físicos? Ou ainda fazendo compras ou enviando mensagens via *twitter*, vendo seu *Facebook* ou mandando *e-mails* para familiares e amigos? Quando você soma todos esses minutos e horas preciosos, percebe que, definitivamente, tem tempo para orar — em especial, para orar pela vida e pela alma de sua filha. Quando coloca em um prato da balança o tempo que você gasta em várias atividades, e em outro, o tempo que investe em oração por sua filha, a imagem fica assustadoramente clara.

A propósito, não há nada errado em gastar tempo com essas atividades cotidianas. Elas nos mantêm em contato com as pessoas, nos deixam informadas, nos ajudam a cuidar dos outros e, até mesmo, nos educam e nos divertem. Mas considere adicionar algo mais à sua lista de atividades — algo que é muito mais importante que todas essas atividades. Considere acrescentar a oração por si mesma, por sua família, pelos ministérios, pela igreja e, mais especialmente, por sua preciosa filha.

E dê um passo além e torne a oração a primeira coisa em sua lista de prioridades diariamente. Depois, dê um passo atrás e observe as bênçãos de Deus em sua vida! Para início de conversa, você é abençoada. Você se beneficia quando ora, pois coloca Deus em primeiro lugar. Transforma-se e cresce à medida que conversa cada vez mais com Deus. E, bênção sobre bênção, quando você ora por sua filha, ela se beneficia. Ela é abençoada. É como diz uma conhecida declaração: "Não há nada que nos faça amar mais uma filha que orar por ela".[3]

UMA HISTÓRIA PESSOAL

Tive de aprender a escolher orar antes de tudo. Isso mesmo, fazer isso não poderia ser mais simples, mas — ai, ai, ai! — foi tão difícil! Descobri que é preciso pouco ou nenhum esforço para abraçar uma rotina confortável, divertida e até produtiva em minha vida diária. E é ainda mais fácil ter uma rotina repleta de maus hábitos. No entanto, eu estava tentando criar uma rotina com Deus — a rotina de uma mãe segundo o coração de Deus. Eu sabia no fundo de meu coração que essa escolha essencial por orar, e orar por minhas filhas, era correta — e necessária. Contudo, provavelmente como você, sempre havia mil coisas a fazer, mil e uma formas de gastar meu tempo... e mil e duas desculpas para não chegar à atitude de oração! A única solução era orar — apenas orar, e orar antes de qualquer outra coisa. Portanto, em minha primeira oportunidade de cada dia, eu conversava com Deus sobre minhas filhas, minhas princesas.

A oração dependia da idade das meninas e das preocupações de cada período da vida. Assim eu orava pela saúde e pelas amizades das meninas ou para que elas fizessem amigos. Orava para que fossem obedientes, tanto ao pai quanto a mim e para que respondessem à disciplina. Orava pela lista de coisas que compartilhei algumas páginas atrás — a salvação, o amor a Deus, o crescimento espiritual, a segurança e o tempo investido em eventos da igreja e acampamentos. Dia após dia, eu seguia orando, com uma lista cada vez maior.

Você também pode fazer isso! Descobrirá uma forma de fazer, eu lhe garanto. O primeiro passo é acreditar que a oração por sua filha é vital. E o segundo passo é simplesmente começar a orar. Ore! A oração pode ser tão elementar quanto dizer: "Bom dia, Deus. Sou Rebecca e estou aqui para conversar com o Senhor sobre minha filha Molly". E assim você começa!

Agora, iniciaremos um treinamento sobre algumas armas da oração. Continue lendo!

SEJA ESPECÍFICA AO ORAR

Aqui está um pensamento para sua meditação — um pensamento que cravou seus dentes em minha alma quando o li! "Muito da nossa oração diz respeito a apenas pedir que Deus abençoe alguém que está doente e nos ajude a continuar nossa jornada. A oração, no entanto, não é mera tagarelice: é guerra".[4] A mensagem é: quando é hora de orar, é hora de ir para a guerra! Isso quer dizer que, como guerreira de oração, você não apenas tagarela. Você batalha por aquilo que é absolutamente sério na vida de sua filha. Por exemplo...

O compromisso de sua filha com Cristo

Você já concordou que uma mãe que ama o Senhor de todo o seu coração quer, acima de tudo, que sua filha, e todos os seus filhos, pertençam a Cristo e cultivem um amor compromissado e vibrante por ele. Portanto, por ser você essa mãe, sua vida e todos os aspectos da educação de sua filha encaminham sua garotinha para Deus. E o mesmo acontece com as orações. O relacionamento de sua filha com Deus é quase sempre a primeira oração que você apresenta ao Senhor enquanto ora diariamente por ela. Se você for como eu, sua súplica será mais ou menos como esta: "Senhor, salve minha filha! Se tiver de responder a apenas uma de minhas orações, por favor, Senhor, que esta seja a oração respondida!".

Neste exato momento, estou examinando as páginas de meu diário de oração. Meus olhos caíram imediatamente sobre o seguinte pedido de oração por minhas filhas: que elas "desejassem ler a Palavra, crescessem e orassem". O pedido é mencionado na página de meus pedidos "gerais" e diários por minhas duas filhas. Minha parte, tanto naquela época quanto agora, era e é viver com fidelidade meu amor pelo Senhor, dando o exemplo às minhas filhas e orando por seu crescimento e por um amor ainda maior pelo Senhor. O papel de Deus, naquela época e agora, era e é trabalhar no coração de minhas meninas.

O crescimento espiritual de sua filha

Nesta semana, o pastor da igreja que Jim e eu frequentamos dedicou toda sua mensagem à importância da Bíblia para nosso crescimento espiritual. Ele mostrou que Deus nos deu várias dádivas notáveis — seu Filho, a salvação por intermédio de seu Filho e sua Palavra. Explicou que Jesus veio para tornar a salvação possível, que a salvação por intermédio de Jesus nos faz filhos e filhas de Deus, e que a Bíblia nos ensina e nos ajuda a conhecer Deus e a viver de acordo com sua vontade.

Você é a pessoa que Deus escolheu para apagar os incêndios na vida de sua filha, a primeira pessoa na lista do Senhor a orar por ela.

Quando se trata do crescimento espiritual de sua filha, suas orações são vitais. Sua menina precisa ser salva de seus pecados, o que só o relacionamento com Jesus, o Filho de Deus, torna possível. E ela precisa ouvir e conhecer o que a Bíblia ensina para que, pela graça de Deus e pela obediência ao Senhor, possa evitar muitos dos erros que a maioria das garotas comete durante seu crescimento.

— O que você deve fazer? Orar e agir! Você acaba de descobrir que está grávida? Então comece a orar. E, desde o primeiro dia de sua filha na terra, leia e verbalize a Palavra de Deus para ela. Comprometa-se a fazer o que Deus instrui os pais a fazerem: conversar sobre o Senhor desde o nascer até o pôr do sol.

À medida que o tempo passa e a vida de sua filha segue adiante, continue orando. Seja sempre uma guerreira de oração. E tenha como objetivo prover os recursos cristãos de que ela necessita em cada etapa do aprendizado. Providencie para que sua filha, enquanto no berço ou na cadeirinha do carro, possa "ler" uma pequena Bíblia com versículos e ilustrações simples, mas significativas. Depois, passe a colocar em suas mãos uma Bíblia simples com gravuras. E, por fim, chegue à Bíblia "real", aquela que minha neta chama de "Bíblia de verdade". E, a tempo, dê à sua filha uma Bíblia de estudo que a ajude a compreender a verdade de Deus em maior profundidade e que alimente o crescimento dela como cristã.

O desenvolvimento físico e a saúde de sua filha

Vamos falar sobre uma área, na qual as meninas sofrem — e as mães também sofrem! O físico e a saúde são questões que sempre desafiam meninas e mulheres de todas as idades. Que bebê não gosta de olhar sobre o ombro da mãe para se ver no espelho e sorrir ao deparar com a própria imagem? Assim que nos olhamos pela primeira vez no espelho, ficamos encantadas com todo e qualquer aspecto de nosso físico. À medida que crescemos, nossos dentes mudam (aqui entram os aparelhos dentários corretivos!). Nossa pele muda (Como você se livra das espinhas?). Nosso corpo muda. Isso significa que nossas emoções também mudam; nossas atitudes mudam. E, é verdade, nosso apetite também aumenta (Como uma criança perde alguns quilos?).

E, querida mãe, como bem sabemos, você está ali no meio desses momentos difíceis. Você é a pessoa que Deus escolheu para apagar os incêndios na vida de sua filha, a primeira pessoa na lista do Senhor a orar por ela. Você possivelmente é a única pessoa com quem ela pode falar quando se trata de assuntos pessoais. Portanto, sua missão é alimentar o amor e firmar o relacionamento com ela. Saber que você cuida dela, que a compreende e, acima de tudo, que a ama incondicionalmente levará sua pequena a procurá-la, mesmo quando ela se sentir uma patinha feia ou achar que é tremendamente desengonçada.

E, à medida que sua filha atravessa esses períodos de dúvidas pessoais, você pode orar por ela. Como uma guerreira de oração, você pode clamar por sabedoria para ajudá-la a compreender e aceitar as mudanças físicas como parte do belo plano de Deus para a vida da mulher. Sua tarefa inclui orar por ela — e com ela — sobre a importância da beleza interna, pois esta é muito mais relevante que a beleza física.

Você pode!

A seguir, reunimos algumas sugestões que podem contribuir para que você se torne a mãe que sonha ser. Cada uma delas ajudará você a melhorar sua vida... e a de sua filha também. Aqui vamos nós!

Examine seu coração

Ser uma mãe segundo o coração de Deus inclui saber onde está seu coração. Ore por sua filha, mas antes ore sobre seu coração e sua condição espiritual. Essa é a razão pela qual a oração é tão importante para uma mãe. É uma disciplina espiritual. Quando você ora, reconhece que Deus é participante ativo em sua vida e na vida de sua filha também. Separar tempo para orar diariamente fortalecerá sua vida espiritual, o que, por sua vez, fortalecerá seu relacionamento com sua filha e o relacionamento dela com Deus.

Peça a Deus sabedoria

Não existe em nenhum lugar do mundo uma mãe que não queira aconselhar e guiar a filha, e você é uma delas, certo? E, como todas as mães, você sabe que precisa de ajuda. Essa é a razão pela qual Tiago 1:5 é um verdadeiro encorajamento: *Se algum de vós tem falta de sabedoria, peça a Deus,* [...] *e lhe será dada.* Se você se sente confusa com a maternidade, como eu me senti ao longo dos anos, ore dia e noite pedindo a Deus sabedoria para educar sua filha segundo o coração do Senhor. Saiba apenas que, quando você busca a Deus e lhe pede sabedoria, está buscando no lugar certo. Tal qual nos assegura o versículo de Tiago, a sabedoria "lhe será dada". Assim que você pedir, ela estará a caminho!

Faça uma lista de oração para sua filha

Se você não for cuidadosa, as orações por sua filha podem se tornar genéricas ou até mesmo automáticas, e você ficará resmungando pedidos vagos, como, por exemplo: "Deus, por favor abençoe minha filha hoje". Sua filha enfrenta questões específicas a cada dia e a cada estágio de sua vida. Portanto, organize uma lista ou um livro de oração exclusivo para sua filha. Registre suas preocupações específicas. Acrescente à lista os pedidos de oração que ela fizer. Adicione novas questões à medida que elas surgirem. Depois, apresente tudo isso diante de Deus. (Jim e eu orávamos para que nossas filhas tivessem companheiros piedosos, se o casamento fosse o desejo de Deus para elas. Apresentamos essa oração específica a Deus quase todos os dias por quase vinte anos, antes de Jim atravessar a nave da igreja com nossas filhas para entregá-las a nossos genros, os dois chamados Paulo, em resposta às nossas orações.)

Não deixe passar um único dia em brancas nuvens

Por causa de sua agenda lotada, é possível que você passe vários dias sem orar por sua filha. Há tanto a ser feito! Mas reflita sobre este pensamento: "O tempo gasto em oração rende muito mais que o tempo gasto com o trabalho".[5] Isso é especialmente verdadeiro no que diz respeito à sua filha! E pense neste outro pensamento: Se você não orar por sua filha todos os dias, quem o fará? Talvez um dos avós piedosos ou seu marido? Assim espero. No entanto, é possível que em determinado dia você seja a única pessoa orando em favor de sua filha. Portanto, não permita que se passe um único dia em que "ninguém orou por minha filha"! Sua filha precisa de orações, todos os dias, aconteça o que acontecer. Toda mãe ocupada pode, de alguma forma, separar de 5 a 10 minutos em seu dia. Portanto, separe-os... e ore. O que está em jogo é sublime demais para que você deixe de orar algum tempo em benefício de sua preciosa filha.

O bloco de reflexões maternas

Antes de seguir para sua próxima missão de mãe, separe 1 ou 2 minutos para refletir sobre como você pode manter-se alinhada com Deus. Planeje alguns poucos passos que farão uma grande diferença em sua vida e na vida de sua filha:

1. Sei que não oro tanto quanto deveria. E estou longe de ser uma guerreira de oração para minha querida, preciosa, doce e maravilhosa filha. De que maneiras posso aumentar o fervor em minha vida de oração?

   _____

   _____

   _____

2. Preciso fazer uma lista ou um diário de oração para minha filha. Quando encontrarei tempo para cuidar disso? Vou incluir isso no meu calendário agorinha mesmo. É um compromisso!

3. Quais são as três coisas mais importantes na vida de minha filha que exigem atenção imediata em minha oração?

   _____

   _____

   _____

4. Será que minha filha é realmente cristã? Quando poderei conversar com ela sobre seu relacionamento com

Jesus? E quando começarei a arrombar as portas do céu com minhas orações?

_____

5. Quando penso no futuro de minha filha, o que é vital? Devo incluir isso em minha lista ou diário de oração imediatamente. O futuro é agora!

_____

_____

_____

_____

capítulo 3

A SEMEADORA

Parte 1: O coração da semeadora

O semeador semeia a palavra.

— Marcos 4:14

Flashback! Estou sentada em minha escrivaninha recordando a época em que era ainda uma jovem mãe — uma cristã recém-convertida com duas crianças pequenas... e uma Bíblia. Eu tentava descobrir desesperadamente o que Deus tinha a dizer para mim, uma das mães escolhidas por ele, a fim de que eu pudesse começar a fazer o que quer que ele me orientasse a fazer. O que eu vinha fazendo (o que na maioria das vezes não era nada — apenas deixar fluir as coisas) definitivamente não estava funcionando. Eu precisava de ajuda, e sabia disso. Então, voltei-me para minha Bíblia, para um dos meus "versículos de mãe" favoritos — Deuteronômio 6:6,7. Foi ali que encontrei o que eu, uma mãe de duas meninas, precisava fazer. De acordo com esses versículos, a coisa toda tinha a ver com o meu coração. Como mãe, eu precisava certificar-me de que a Palavra de Deus estava em meu coração. Por quê? Para que eu pudesse ensinar os preceitos do Senhor e conversar sobre eles com minhas filhas, dia e noite e em toda e qualquer situação. Eu sabia que precisava fazer isso. *Mas como fazer?* — pensava.

UMA RECEITA PARA
COMPARTILHAR A VERDADE DE DEUS

O que logo descobri foi um tipo de receita para compartilhar a verdade bíblica com minhas pequenas, que, é claro, já cresceram! Algumas ações — e decisões — diárias no coração da mãe a ajudam a realizar a tarefa de ensinar e falar a respeito de Deus.

Pregue a Palavra

As mães, assim como os pregadores, devem pregar, ensinar e compartilhar a Palavra de Deus com as filhas. É algo semelhante ao que o apóstolo Paulo disse a seu jovem protegido, Timóteo — [...] *prega a palavra* (2Timóteo 4:2).

Em outras palavras, o pregador precisa pregar. É uma função, uma responsabilidade e incumbência que nos foram dadas por Deus. E falar sobre a Palavra de Deus é outra de nossas missões maternas.

Ser uma "mãe que ora" é algo que aprendi com Ruth Graham, esposa do evangelista Billy Graham e mãe de cinco filhos (três deles, mulheres). Na biografia de seu famoso marido, li sobre uma entrevista em que pediram a opinião de Ruth sobre o papel da mãe e da dona de casa. Ela respondeu: "É o melhor trabalho, o mais recompensador do mundo, sendo tão importante quanto outras tarefas importantes, até mesmo quanto a pregação". A seguir, acrescentou: "Talvez seja de fato uma pregação!".[1]

Agora, aplique isso a você, como mãe de uma preciosa filha que precisa ouvir a pregação da Palavra de Deus! E quando digo "pregação", por favor, compreenda que não me refiro a colocar o dedo indicador em riste, elevar a voz em tom acusador ou a bater o punho sobre a Bíblia. Apenas quero dizer: fique preparada para qualquer oportunidade possível de compartilhar a verdade de Deus. E, quando esses momentos surgirem, compartilhe naturalmente. Não se reprima.

62   Educando filhas segundo o coração de Deus

Seja persistente. Há muito com que se preocupar em sua função de mãe, mas existe algo que jamais deve passar pela sua cabeça: achar que compartilhar a verdade bíblica não é algo muito importante e não faz a menor diferença. Não, pense exatamente o oposto! A Bíblia assegura: *Porque a palavra de Deus é viva e eficaz, mais cortante que qualquer espada de dois gumes; penetra até o ponto de dividir alma e espírito, juntas e medulas, e é capaz de perceber os pensamentos e intenções do coração* (Hebreus 4:12).

Essa descrição feita pelo próprio Deus sobre o poder e os efeitos de sua Palavra deveria encorajá-la a aproveitar toda e qualquer oportunidade de compartilhamento com sua filha. A Palavra deve ser disseminada, fluindo de um esforço consciente de sua parte. Foi isso o que Billy Graham descobriu. Esse homem de Deus percebeu que precisava criar oportunidades para compartilhar a verdade de Deus. Assim, nos primeiros dias de seu ministério e fama, ele decidiu mencionar o Senhor todas as vezes que desse um autógrafo para alguém. Também decidiu direcionar todas as entrevistas para a mensagem do evangelho. Ao escrever para a esposa, Billy Graham relata: "Decidi que, nos almoços de negócios, farei todo o possível pelo evangelho. Não estou disposto a fazer palestras em eventos mundiais nem lhes dar doces cantigas de ninar".[2]

Mãe, tome uma decisão você também: "Decido que [...] farei todo o possível pelo evangelho".

Imagine-se como uma fazendeira

Imaginar-se como uma pregadora talvez seja algo um tanto avassalador para você. Contudo, imaginar-se como uma fazendeira talvez não seja tão difícil. Hmmm, vejamos. Uma fazendeira acorda cedo... e uma mãe também! Uma fazendeira realiza trabalho físico árduo... e uma mãe também. Uma fazendeira trabalha por longas horas... e uma mãe também. Uma fazendeira vai para a cama exausta, todas as noites... e uma mãe também.

Bem, Jesus ensinou a parábola que nos mostra outra coisa comum entre uma fazendeira e uma mãe. Uma fazendeira semeia, e uma mãe também. Antes de mergulharmos na ideia de que você será uma semeadora, leia a parábola do semeador, contada por Jesus. Apenas leia e deleite-se com o texto. Você a encontra em Marcos 4:3-8 (e também em Lucas 8:5-8).

> *Ouvi; o semeador saiu a semear. Enquanto semeava, parte da semente caiu à beira do caminho, e vieram as aves e a comeram. Outra parte caiu em solo pedregoso, onde não havia muita terra; e logo brotou, pois a terra não era profunda. Quando saiu o sol, este a queimou; e, como ela não tinha raiz, secou. Outra parte caiu entre os espinhos, os quais, crescendo, sufocaram-na, e ela não deu fruto. Mas outras sementes caíram em terra boa. Brotaram, cresceram e deram fruto; e um grão produziu outros trinta; outro, sessenta; e outro, cem* (Marcos 4:3-8).

Você está querendo saber o que tudo isso significa? Bem, você não é a única. Na realidade, está em boa companhia! Depois que Jesus contou essa história, os discípulos lhe fizeram essa mesma pergunta privadamente. Leia a explicação do Senhor:

> *O semeador semeia a palavra. Os que estão à beira do caminho são aqueles em quem a palavra é semeada, mas, depois de ouvi-la, logo vem Satanás e tira a palavra neles semeada. Do mesmo modo, as que foram semeadas em lugares pedregosos são os que, ouvindo a palavra,*

64 EDUCANDO FILHAS SEGUNDO O CORAÇÃO DE DEUS

imediatamente a recebem com alegria, mas, como não têm raiz em si mesmos, duram pouco. Quando vem a tribulação ou a perseguição por causa da palavra, logo tropeçam. Outros ainda são os que recebem a semente entre espinhos. Estes são os que ouvem a palavra, mas as preocupações do mundo, a sedução da riqueza e o desejo por outras coisas sufocam a palavra, e ela fica infrutífera. Os outros que recebem a semente em terra boa são os que ouvem a palavra, acolhem-na e dão fruto; alguns trinta por um; outros, sessenta por um; e outros, cem por um (Marcos 4:14-20).

Temos muito que aprender aqui! Todavia, eu gostaria que você lesse a parábola inteira antes de focarmos o plano de Deus para você, como mãe — o plano para que você seja uma semeadora. É vital perceber que você precisa tomar decisões conscientes para anunciar a Palavra de Deus para sua filha. Você deve ser como o semeador na parábola de Jesus que, com propósito e decisão, *saiu a semear*. Ele decidiu levantar da cama e fazer o trabalho de semear. E você, como ele, deve tomar a mesma decisão de se levantar a cada dia e sair para semear, com propósito e decisão, as sementes da verdade no solo do coração de sua filha.

É claro que você terá o desejo de entoar cantigas simples e doces canções de ninar para sua pequena, e continuará a fazer coisas divertidas à medida que ela cresce. Isso é muito bom! Não se esqueça, no entanto, de ser fiel e semear a Palavra de Deus. Faça um esforço deliberado, tal como o semeador na história de Jesus sobre a semeadura. E, como Billy Graham, esteja disposta a fazer todo o possível pelo evangelho. Sua missão, como mãe, é semear ativamente — e orar, orar e orar. Orar para que, pela graça de Deus, as respostas do coração de sua filha sejam positivas, e para que ela aceite o evangelho da salvação e as verdades da Bíblia.

OS ELEMENTOS NECESSÁRIOS
PARA PRODUZIR A COLHEITA

Provavelmente, você já teve alguma experiência com jardinagem. Talvez não tenha uma vocação natural para essa tarefa, mas ainda assim aprecia cuidar das plantas! Portanto, acredito que, por ora, você já sabe que existem algumas coisas essenciais a ter ou fazer antes de podermos desfrutar de uma bela planta em um vaso... ou de um roseiral bem florido. Todo jardineiro precisa semear ou ter mudas, solo rico, cercar as plantas com camadas de matéria vegetal, fertilizante e água para alcançar o resultado desejado: plantas belas e saudáveis. A partir da parábola de Jesus, aprendemos quais são os elementos necessários para produzir uma colheita espiritual.

As mães cristãs precisam ser "mestras do bem",
em especial do bem que encontramos na Bíblia.

A semente

Primeiro, você precisa ter a semente. A fim de aplicar a parábola de Jesus à sua atuação como mãe, reconheça que a semente mencionada por Jesus é *a palavra* (Marcos 4:14), a *palavra de Deus* (Lucas 8:11). Jesus se refere à mensagem de salvação do evangelho — a mensagem de que todos nós somos pecadores e podemos receber o perdão de nossos pecados por intermédio da morte de Cristo na cruz. Jesus explicou que o fazendeiro — ou o semeador — é aquele que separa um tempo para plantar a boa semente das Escrituras na vida dos outros. A Palavra de Deus é perfeita e ajuda você a realizar a tarefa que lhe foi designada, conforme especificado em Tito 2:3 — as mães cristãs precisam ser *mestras do bem*, em especial do bem que encontramos na Bíblia.

O que é necessário para ser um semeador? Obviamente, é necessário ter a semente — a Palavra. As Escrituras precisam

66 EDUCANDO FILHAS SEGUNDO O CORAÇÃO DE DEUS

estar em sua mente, em seu coração e em seus lábios. Conheço algumas mulheres cujas palavras testemunham essa condição interior. Deus enviou à minha vida uma dessas mulheres — uma ex-colaboradora da Cruzada para Cristo. Ela jamais deixou de compartilhar a Palavra de Deus em cada encontro. Às vezes, era algo descoberto em sua devocional diária, e ela ficava muito empolgada em passar isso adiante! Às vezes, era um versículo que ela estava memorizando, e o texto era tão rico, pleno e transformador que ela não conseguia guardá-lo só para si. Ou, às vezes, quando ela me perguntava (e a qualquer outra pessoa que encontrasse) sobre meus pedidos de oração, ela compartilhava um versículo de encorajamento relacionado a essa necessidade. Era natural, jamais ameaçador. Era simplesmente agradável ver transbordar o tesouro da Palavra de Deus guardado no coração dessa mulher. Ela sempre era capaz de saber *dizer, a seu tempo, uma boa palavra* (Isaías 50:4, ARC) — uma palavra que era oportuna, apropriada, positiva, encorajadora. Ela não sabia ser diferente! Era um exemplo vivo do princípio ensinado por Jesus de que *a boca fala do que o coração está cheio* (Mateus 12:34).

Pense em todas as coisas sobre as quais você conversa em um dia — coisas que consomem tempo e obstruem sua oportunidade de compartilhar a Palavra de Deus, coisas que não têm valor, coisas que falham em edificar e encorajar. É muito melhor empolgar-se com a Palavra de Deus e encher-se dela — a ponto de transbordar para todos ao redor — em especial sua filha, e começando por ela!

O semeador

Depois de encher sua bolsa (ou seja, seu coração) com as sementes (ou seja, a Palavra de Deus), a instrução seguinte de Jesus para você é lavrar a terra — e lavrar com liberalidade! Isso também exige, a cada dia, a sua decisão deliberada de ser a mãe que semeia a boa semente no coração de sua filha.

Essa é exatamente a mensagem da parábola de Jesus. Antes de desfrutarmos da colheita, é preciso haver um semeador. Por quê? Porque semente é semente. E a semente pode ficar em uma bolsa ou uma caixa — ou seja, o coração — anos a fio. No entanto, essa semente é uma dinamite! É a Palavra de Deus, viva e poderosa. Ela trabalha no coração, nas atitudes, nos pensamentos e nas motivações de uma pessoa, e faz isso mais que qualquer outra coisa. Ela examina, julga e admoesta os ouvintes para que abracem a fé viva e o viver santo. É verdadeiramente a Palavra de poder!

Deus deu a você, mãe, a semente, a Palavra — a dinamite! Ele confiou sua filha a você. Todavia, nenhuma semente cria raízes nem opera o milagre da salvação até que seja ativamente semeada. Portanto, você, mãe, deve ser a semeadora da poderosa e preciosa semente salvadora e transformadora de vida. É verdade que Deus enviará outras pessoas maravilhosas que também semearão a Palavra, como os líderes de juventude, os escritores cristãos, os professores da escola dominical e outras garotas cristãs e suas mães — e, é claro, avós cuidadosas que oram. No entanto, você, mãe, é a principal semeadora do evangelho de Deus, o evangelho da graça e do perdão salvíficos.

E considere agora algo renovador da Bíblia, que, assim espero, encorajará você em seu compromisso para semear a semente da verdade na alma de sua filha. É uma verdade, um fato e uma promessa de Deus, tudo em um só pacote, que confirma para nós o poder da Palavra de Deus:

> *Porque, assim como a chuva e a neve descem dos céus e não voltam*
> *para lá, mas regam a terra e a fazem produzir e brotar, para que dê*

semente ao semeador e pão ao que come, assim será a palavra que sair da minha boca; não voltará para mim vazia, mas fará o que me agrada e cumprirá com êxito o propósito da sua missão (Isaías 55:10,11).

Caso você esteja hesitante, insegura ou pense que compartilhar a verdade bíblica não é algo tão importante ou tão popular, tenha certeza de que toda e qualquer verdade da Palavra de Deus que você compartilhar com sua filha valerá a pena. Nenhuma verdade é desperdiçada, infrutífera, ausente de poder ou carente de importância. Toda verdade contribui positivamente para a vontade de Deus e os propósitos da vida do ouvinte — sua filha!

UMA ADMOESTAÇÃO ÀS MÃES

Então, como está seu coração? Está semeando as sementes do amor e da verdade de Deus no coração de sua filha? Nunca é cedo ou tarde demais. É por essa razão que a Palavra de Deus não pode retornar vazia, independentemente de quando tenha sido semeada. Ela sempre trabalha no coração do ouvinte e realiza a vontade de Deus.

E observe ainda que alguma coisa é melhor que nada. De início, isso pode ser um pouco difícil, ou você pode sentir-se desajeitada ao mencionar um texto das Escrituras, ou ainda se sentir forçada a citar a Bíblia, compartilhar um provérbio ou, quem sabe, afirmar um princípio bíblico. Se isso acontecer, você precisa continuar determinada a fazer o que Deus pede que você faça. Você deve aproveitar as oportunidades naturais que surgem todos os dias, quando você e sua filha estão sentadas lado a lado, quando caminham, quando se deitam ou se levantam. E, conforme Billy Graham compartilhou conosco: "Se as oportunidades parecem não surgir, crie-as você mesmo!"

Nós, mães, não podemos subestimar a urgência de plantar a verdade de Deus no coração e na mente de nossa filha, qualquer que seja a idade dela. Sua filha precisa desenvolver um relacionamento com Deus. E a Palavra de Deus estimula, promove e torna real esse relacionamento (2Timóteo 2:15).

Sua filha precisa do conhecimento e da força presentes na verdade e sabedoria de Deus para enfrentar a vida. E você, mãe, tem o supremo privilégio de fazer uma parceria com Deus, se o Senhor assim desejar, para tornar real o nascimento espiritual e o crescimento de sua filha até que ela se torne uma mulher segundo o coração de Deus.

Percebo que o versículo que estou prestes a compartilhar refere-se à maneira pela qual praticamos a administração de nosso dinheiro, mas o "princípio de semear e colher" também se aplica à semeadura da verdade de Deus no coração de sua filha: *Quem pouco semeia, pouco também colherá; quem semeia com generosidade, também colherá generosamente* (2Coríntios 9:6).

A SEMEADORA

Parte 2: O trabalho da semeadora

O semeador saiu para semear.

— LUCAS 8:5

Jim, meu marido, ensinou em seminários sobre como estabelecer objetivos. O primeiro objetivo era levar as pessoas ao ponto de estabelecer objetivos pessoais com os quais elas poderiam se comprometer. Assim que os participantes do seminário chegavam a esse ponto do *workshop*, Jim os ensinava a desenvolver um plano para avançar em direção aos objetivos firmados — incluindo a preparação e as ações necessárias para alcançá-los.

Bem, Deus estabeleceu objetivos para você e para mim, como mães de filhas mulheres. E um desses objetivos é semear sua Palavra no solo do coração de nossas meninas. Mas como fazer isso?

A SEMEADURA ENVOLVE PLANEJAMENTO E PREPARAÇÃO

Para as respostas à pergunta "Como?", devemos revisitar o fazendeiro da parábola de Jesus, a fim de recolher algumas percepções dessa história. Para acelerar o processo, já sabemos que, antes de semear, o fazendeiro precisa ter certeza de possuir um bom número de sementes. Esse é um dos nossos objetivos.

A seguir, temos o planejamento e a preparação necessários para tornar realidade o objetivo de ter sementes disponíveis. Na história de Jesus, a semente não aparece magicamente. O ensinamento não é um conto de fadas. Não, para ter a semente à mão quando chega a época da plantação, o fazendeiro precisa planejar com antecedência — cerca de um ano antes, porque, cada vez que a colheita é feita, uma porção de sementes deve ser separada para a plantação seguinte.

É óbvio que, para alcançar o objetivo de ter sementes para plantar, o fazendeiro deve seguir um cronograma. E isso, porque há um tempo certo para semear, uma época em que as condições do tempo e do solo são ideais para a semeadura.

E a preparação é uma necessidade. O solo precisa ser preparado. Precisa ser arado para criar sulcos que abriguem a semente e captem a água da chuva. O cronograma anual do fazendeiro inclui tarefas como colheita, separação de sementes para a plantação seguinte, preparação do campo e semeadura.

Assim, a que se assemelha o cronograma materno? À medida que você o elabora, lembre-se do objetivo principal: educar uma filha segundo o coração de Deus. Que atividades ajudarão você ao longo desse processo? Que tipo de planejamento e preparação você precisa colocar em prática? Escreva essas coisas e registre-as em seu cronograma diário, em sua lista de coisas para fazer ao longo do dia.

Por exemplo, todos os dias você deseja colher sementes frescas da Palavra de Deus.

A seguir, você precisa lembrar-se de semear em todas as oportunidades que surgirem. Então, vem a tarefa de zelar pelo dia, pela semente e pelo solo do coração de sua filha, e isso você alcança por meio da oração vigilante de uma trabalhadora fiel. Conforme Jesus incitou seus discípulos a agir: *Rogai ao Senhor da colheita que mande trabalhadores para a sua colheita*

72 EDUCANDO FILHAS SEGUNDO O CORAÇÃO DE DEUS

(Mateus 9:38). Perceba ou não, você é uma "fazendeira" que Deus enviou para trabalhar no campo do coração de sua filha. Você é parte essencial na resposta às suas orações!

E não se esqueça: o trabalho de semeadura é um ato de repetição. O fazendeiro faz isso ano após ano. E você deve agir do mesmo modo! Você semeará a Palavra de Deus dia após dia e ano após ano. A semeadura é um trabalho metódico. Você deve:

- Planejar isso (certifique-se de compartilhar intencionalmente a Palavra de Deus).
- Preparar um cronograma para essa atividade (separar um período de quietude com sua filha).
- Armazenar o grão para a semeadura (passar tempo sozinha na leitura e no estudo da Bíblia).
- Semear e preparar o campo (fazer com o coração de amor)... e então...
- Caminhar ao longo dos sulcos do solo ("caminhar" ao longo do dia, da maneira que Deuteronômio 6:7 recomenda).
- Anunciar punhado após punhado da preciosa semente, fazendo isso de forma deliberada e com liberalidade ("falar" sobre a Palavra de Deus, mais uma vez conforme Deuteronômio 6:7 recomenda).

A SEMEADURA ENVOLVE TRABALHO

Por décadas, meu tio cultivou vinte porções de terra (o que corresponde a cerca de 50 km^2), na região norte do Estado do Texas. Jamais deixei de admirar o trabalho árduo que ele empregava no cultivo. Não havia trégua. Não havia semana nem fim de semana de folga, tampouco, férias. Meu tio acordava às 4 horas da manhã, sete dias por semana, para iniciar seus afazeres. Depois, entrava em casa para tomar um café da manhã reforçado — e, logo a seguir, saía novamente para tarefas pesadas. Após o almoço, bastante substancioso, ele tirava uma soneca em sua cadeira favorita com o clássico chapéu de caubói sobre a face e os pés calçados de botas e apoiados sobre um banquinho. Assim que acabava esse breve descanso, ele se levantava e trabalhava até a noite, terminando o dia com um jantar e indo para a cama muito cedo.

Poucas coisas na vida poderiam ser tão magníficas quanto ver sua filha amar e seguir o Senhor.

Você está agindo como mãe? Tanto o fazendeiro quanto a mãe levantam bem cedo. Ambos trabalham arduamente o dia inteiro e, ao fim do dia, vão para a cama exaustos. Qualquer coisa tão crítica e urgente quanto nutrir o coração e a vida de sua filha exige — e merece — todos seus esforços. Minha rima favorita no livro infantil *God's Wisdom for Little Girls* [A sabedoria de Deus para as meninas] é: "A menina de Deus está ocupada".

O jardim da menina de Deus — quão majestoso!
Começou com um sonho, uma oração e um plano.
Nada assim tão esplêndido acontece, sabemos disso:
É preciso tempo e cuidado para que as flores cresçam![1]

E é verdade! Nada assim tão esplêndido acontece. E isso inclui educar uma filha segundo o coração de Deus. Leva tempo, demanda trabalho, cuidado e oração para a semente ser semeada. Depois, se o Senhor assim desejar, à medida que você dedicar mais tempo, trabalho, cuidado e oração, a semente criará raízes em seu precioso coração e crescerá até florescer e dar fruto. Quando você reflete a respeito, conclui que poucas coisas na vida poderiam ser tão magníficas quanto ver sua filha amar e seguir o Senhor. Certamente, isso vale qualquer carga de trabalho.

A SEMEADURA ENVOLVE PACIÊNCIA

O rei Salomão, também conhecido como "sábio" ou "pregador" (cf. *ARA*), escreveu: *Tudo tem uma ocasião certa, e há um tempo certo para todo propósito debaixo do céu.* [...] *tempo de plantar e tempo de arrancar o que se plantou* (Eclesiastes 3:1,2). Salomão estava dizendo que há tempo para semear e tempo para apanhar o que se semeou, tempo para plantar e tempo para colher. Isso implica um período de espera entre esses passos. Portanto, o que a mãe pode fazer enquanto espera que o trabalho de Deus seja feito na alma da filha? Acompanhe aqui alguns projetos vitais.

Proteja sua filha

Assim que o fazendeiro prepara o campo e faz a semeadura, ele tem de proteger a plantação e seus pequenos brotos frágeis. Se percebe a ameaça de uma chuva torrencial, ele coloca sacos de areia e barreiras em torno do campo, para impedir que a água da correnteza derrube os brotos. E, se pássaros se tornam um problema, ele posiciona um espantalho no campo, para impedi-los de se alimentarem das sementes caídas no solo.

Seu trabalho, como o do fazendeiro, é preparar, planejar e semear — e depois esperar pacientemente pelos resultados. E, enquanto estiver esperando, sua tarefa é tomar conta do campo — de sua filha e do coração dessa menina. Você deve ser como a mulher de Provérbios 31:27: *Administra os bens de sua casa e não se entrega à preguiça.* Lembro-me do comentário de um estudioso que atribuía a essa "mulher administradora" olhos na nuca! Você, tal qual essa mulher, precisa olhar, cuidar e agir — e fazer tudo isso com intensidade e contra tudo o que possa ameaçar sua "plantação" — sua filha e o desenvolvimento da semente da Palavra no coração dessa menina.

Saiba o que está acontecendo na vida de sua filha

Enquanto você espera que a Palavra de Deus se desenvolva na alma de sua filha, deve fazer também o que outro provérbio aconselha: *Procura saber do estado das tuas ovelhas e cuida bem dos teus rebanhos* (Provérbios 27:23). Enquanto você espera pelas evidências da vida espiritual e do milagre da salvação em sua filha, continue extremamente dedicada à oração, ao cuidado e à proteção de suas "ovelhas" e de seus "rebanhos" — sua filha, seus filhos. Sua filha é saudável? De que maneira ela costuma gastar o tempo? O que está acontecendo com ela na escola? Quem são as amigas e os amigos dela?

Sua tarefa é lançar a semente

Você está semeando com entusiasmo e fidelidade e pela fé? Você precisa acreditar no que faz. E precisa acreditar no poder da Palavra de esmagar vontades, salvar corações e transformar almas. E, acima de tudo, você não pode desanimar. Sua filha pode ouvir algumas das verdades compartilhadas por você e não ouvir outras. Pode entender parte do que você diz, mas não tudo. Talvez ela diga: "Ah, mãe, de novo, não!" ou "Podemos deixar isso para depois?" E, assim esperamos, chegará o dia em que ela dirá: "Eu sei o que você vai dizer, mãe. Já ouvi isso mil vezes". (E, a propósito, mãe, isso é maravilhoso! Significa que você está falando e que sua fala ficou gravada no coração de sua filha. Significa que as verdades que você está semeando não poderão ser descartadas por sua filha nos anos vindouros!)

A COLHEITA ENVOLVE DEUS

No fim, uma mãe segundo o coração de Deus tem de confiar em Deus. É Deus quem determina todas as coisas, inclusive o resultado de seus esforços para educar sua filha e o tempo em que os eventos acontecem. Pense na plantação do fazendeiro. Para brotar, crescer e vicejar até a maturidade, as sementes e

76 EDUCANDO FILHAS SEGUNDO O CORAÇÃO DE DEUS

sementeiras precisam de chuva, sol e estiagem. Só Deus pode criar essas condições. Na parábola da semente de mostarda, Jesus ensinou: *O reino de Deus é comparável a um homem que lança a semente à terra; quer esteja ele dormindo à noite, quer acordado de dia, a semente acaba brotando e crescendo, sem ele saber como. A terra produz o grão por si mesma, primeiro a planta, depois a espiga, e por último o grão que enche a espiga* (Marcos 4:26-28).

Mais uma vez, como o fazendeiro, nós, mães, temos de lançar a semente da verdade com obediência e diligência. Temos de tomar conta da semente, orar por ela e protegê-la. Depois, devemos esperar para ver o que Deus fará, porque ele é o único que pode orquestrar o tempo e as condições... e salvar uma alma, incluindo a alma de sua filha.

Haverá dias — talvez até mesmo anos ou décadas — em que você não verá evidências do fruto de seu labor. Nada, porém, justifica você parar de fazer o que Deus pede. Portanto, lance a semente. E continue a semear. Semeie de forma generosa, abundante e confiante! "Tempere" o coração de sua querida filha com o sal da verdade. E jamais pare de fazer isso, não importam as circunstâncias. Um dos meus versículos favoritos sobre a maternidade diz: *A vossa palavra seja sempre amável, temperada com sal...* (Colossenses 4:6). O apóstolo Paulo escreveu essas palavras imediatamente após ter pedido a outros que orassem a Deus para que fosse aberta uma porta de pregação do evangelho.

Essa não é má ideia de oração para fazermos por nós mesmas, você concorda? Compartilhe o Senhor verbalmente com sua filha e ore. E faça conforme o conselho de Salmo 37:7: *Descansa no SENHOR e espera nele.* Só Deus pode abrir mentes e corações e transformar vidas. Ore para que ele abra o coração de sua filha, para que a semente crie raízes e para que ela produza vida espiritual.

A SEMEADURA ENVOLVE FÉ

Você e eu, mães, tais como o fazendeiro que é diligente para semear tendo em vista a colheita, devemos acordar todos os dias, sem exceção, com o propósito de lançar a semente de Deus doadora de vida no coração de nossas filhas. Essa é a nossa parte. E a parte de Deus é produzir a colheita, tocar o coração de sua filha e trazê-la ao pleno conhecimento de seu Filho, Jesus Cristo. Portanto, descanse no Senhor e espere com paciência e com fé, sabendo que Deus fará a parte dele de forma perfeita e no próprio tempo. Deus é completamente soberano. Ele conhece todas as coisas e está no controle de tudo, incluindo como e quando transformará o coração de sua filha. Lembre-se: o tempo da colheita está nas mãos de Deus (v. Salmos 31:15).

Quando você se pegar cheia de preocupações, não permita que isso se prolongue! Não fique impaciente se o tempo estiver passando e se sua filha estiver crescendo sem ainda ter experimentado a fé pessoal em Cristo. E não compare a forma que Deus escolhe trabalhar na vida de sua filha e a maneira com que ele trabalha no coração ou na vida de outras crianças. O tempo depende exclusivamente de Deus. Você não pode "fazer" a salvação acontecer. Só pode realizar a sua parte, e pela fé. Só pode semear. Depois, pela fé, pode orar... e então descansar pela fé.

Você pode!

A seguir, reunimos algumas sugestões que podem contribuir para que você se torne a mãe que sonha ser. Cada uma delas ajudará você a melhorar sua vida... e a de sua filha também. Aqui vamos nós!

Desenvolva um caminhar mais próximo de Jesus

Você já notou que as pessoas gostam de falar sobre quem e o que conhecem? Se assistem à televisão por longas horas, você ouvirá falar sobre os novos programas. Se têm um *hobby*, prepare-se para ouvir a respeito dele. Bem, quanto mais perto você andar de Jesus, mais gostará de falar sobre ele com sua filha. Se quiser que sua filha conheça e ame Jesus, então você, como a pessoa mais próxima dela, deve apresentar-lhe seu melhor amigo e ajudá-la a conhecê-lo como o melhor amigo que ela terá em sua vida.

Aproveite cada oportunidade para falar sobre Jesus

Abra os olhos. As oportunidades estão aí. Por exemplo, explore a passagem da Bíblia que sua filha estuda semanalmente na Escola Dominical. Não restrinja à saída da igreja a conversa a respeito desse texto. Durante a semana, use-o como uma oportunidade para discutir as verdades espirituais. Você pode fixar uma cópia da passagem bíblica na porta da geladeira. Melhor que isso, porém, você deve certificar-se de que essa palavra esteja gravada no coração de sua filha. Uma forma de fazer isso é usar a passagem em pequenas devocionais. Permita que sua filha veja que você e a professora da escola dominical consideram esse texto importante e especial. Ajude sua filha a separar um caderno para registrar todas as passagens bíblicas que estuda na Escola Dominical. Transforme essa atividade em um projeto de arte que vocês duas possam desenvolver juntas. Depois, coloque a data em cada lição. Faça furos nas páginas, junte-as e guarde-as. Que recurso maravilhoso para sua filha rever no futuro! E talvez um dia ela possa compartilhar esse caderno com a própria filha segundo o coração de Deus.

Utilize os momentos das refeições — outra oportunidade natural para você trabalhar com sua filha. Que tal colorir e ilustrar um jogo americano para as refeições da família (outro projeto de arte!)? Você também pode comprar adesivos sobre Jesus e incentivar sua filha a fazer colagens sobre uma toalha de papel.

Utilize também a lancheira ou a mochila de sua filha. Escreva versículos bíblicos sobre o amor de Deus no guardanapo que embrulha o lanche; use adesivos ou outros recursos para deixar claro que você a ama e que está orando por quaisquer problemas que ela possa enfrentar na escola, na sala de aula ou com os amigos.

Leia sobre a vida de Jesus

Não existe melhor maneira de conhecer Jesus do que ler sobre ele todos os dias da vida de sua filha, enquanto ela ainda estiver morando com você. A história da vida de Jesus e seus ensinamentos encontram-se nos quatro Evangelhos — Mateus, Marcos, Lucas e João. Sua filha é pequena? Está aprendendo a ler? Então leia em voz alta todos os dias um trecho dos Evangelhos. Quando for mais velha e capaz de ler sozinha, peça-lhe que também faça parte da leitura da Bíblia. Faça com que ela escreva e memorize os versículos-chave, como, por exemplo: *Eu sou o caminho, a verdade e a vida; ninguém chega ao Pai, a não ser por mim* (João 14:6).

Esteja preparada para falar sobre Jesus

Isso leva a leitura sobre Jesus para outro patamar. Você quer que sua filha saiba que Jesus é Deus encarnado. E quer que ela saiba por que ele veio à terra. Você quer que ela conheça o evangelho — as boas-novas! Isso quer dizer que você precisa falar em voz alta e repetidas vezes sobre os fatos do evangelho. O que é o evangelho? Em 1Coríntios 15:3,4, Paulo apresenta um resumo sucinto: *Cristo morreu pelos nossos pecados* [...]; *e foi sepultado; e ressuscitou ao terceiro dia, segundo as Escrituras.*

O bloco de reflexões maternas

Antes de seguir para sua próxima missão de mãe, separe 1 ou 2 minutos para refletir sobre como você pode manter-se alinhada com Deus. Planeje alguns poucos passos que farão uma grande diferença em sua vida e na vida de sua filha:

1. Uau! Eu? Uma pregadora? OK, farei tudo o que o Senhor ordenar. Bem, qual deve ser o próximo "sermão" para minha filha?

   _____

   _____

   _____

2. Senhor, uma fazendeira? Eu? Mas entendo a mensagem. Devo semear mais. Que versículo posso compartilhar com minha filha hoje, um que seja especial para mim e que a ajude com algum problema que ela esteja enfrentando?

   _____

   _____

   _____

3. Quando penso na mãe e avó de Timóteo, quero ser como elas (v. 2Timóteo 1:5; 3:15). Quero que minha filha conheça Jesus. Aqui estão três coisas que farei para seguir os passos dessas mulheres:

   _____

   _____

   _____

4. Qual é o melhor momento hoje — quando eu estiver com minha filha — para lhe contar como conheci Jesus? Transformarei essa ideia em um compromisso.

_____

_____

5. Ser mãe nem sempre é divertido ou fácil, com certeza! Mas não quero desistir nem perder de vista o objetivo de criar uma filha segundo o coração de Deus. O versículo que quero memorizar para lhe dar força e encorajamento é o seguinte (escolha um versículo, escreva-o aqui e guarde-o em seu coração):

_____

_____

_____

capítulo 4

A TREINADORA

[...] Obedecer é melhor que oferecer sacrifícios...
— 1 SAMUEL 15:22

Por que tudo o que vale a pena vem com uma etiqueta de preço? Por exemplo, meu corpo físico. Por anos, eu ameaçava ficar em forma. Por fim, após mais uma tentativa frustrada em cumprir a resolução de Ano Novo concernente à minha condição física — e seguindo o conselho de meu médico —, dei um passo gigante e matriculei-me em uma série de sessões com um treinador na academia militar onde Jim faz exercícios físicos. Pensei: *Ei, eu poderia ir com o Jim e me encontrar com o treinador. Seria como se marcássemos um encontro!* Bem, no primeiro dia, na primeira sessão — meu Deus! —, tive uma grande surpresa quando cheguei para minha primeira aula, com disposição para arrasar na academia.

Graças a minha nova resolução, eu estava pronta para "malhar"! No entanto, para meu desapontamento, o treinador Cleve e eu passamos a maior parte da primeira sessão no escritório, avaliando minha condição de saúde, eventuais medicamentos, hábitos alimentares, ingestão de líquidos e minhas motivações para procurar a ajuda de um treinador. Foi só nos minutos finais de nossa hora de treinamento que Cleve me apresentou os aparelhos que usaríamos... na sessão seguinte!

À medida que avançávamos no treinamento e meus músculos se tornavam mais condicionados e fortes, Cleve acrescentava mais exercícios e mais repetições. Ele não apenas era meu treinador, mas também assumiu o papel de mentor no reino da boa condição física. Por ele ser ótimo treinador, "durão" e compreensivo em relação às minhas necessidades especiais, alcancei meus objetivos... e fui muito além! As sessões com o treinador chegaram ao fim, porém adivinhe o que aconteceu oito anos mais tarde: ainda continuo cuidando da boa forma e exercitando-me nos aparelhos que Cleve me ensinou a usar. Graças a seus lembretes e suas instruções fiéis sobre minha saúde, ainda sigo a dieta que ele me aconselhou a adotar.

ASSUMINDO UMA NOVA MISSÃO

Hoje, chegamos a uma nova tarefa em sua missão de educar uma filha segundo o coração de Deus. Acrescentamos a função de treinadora, de técnica e talvez até uma pitada de sargento e xerife, aqui e ali. De forma bem distinta dos dois ou três meses em que tive o apoio de um técnico que me treinou, você terá de lidar com uma filha por cerca de vinte anos morando sob seu teto. E você a "encontrará" todos os dias. Consegui excelentes resultados em alguns poucos meses, mas, com o tempo massivo que Deus lhe dá com sua filha, você tem ainda mais oportunidades para estimulá-la, influenciá-la e treiná-la em cada uma das áreas da vida — e para a vida toda!

Portanto, seja bem-vinda ao círculo das treinadoras de filhas para Deus! Qual é o objetivo do tempo gasto treinando sua filha? É, antes de mais nada, ajudá-la a desenvolver um coração que segue a Deus, que se deleita em ser obediente a Deus, cooperar com o Senhor, e cumprir sua vontade. É preciso nutrir em sua filha um coração obediente.

Infelizmente, desde a mais tenra idade, o espírito humano caído se rebela contra a autoridade e, em especial, contra as regras de Deus. Portanto, não considere rejeição pessoal quando sua filha disser "Não!", assim que conseguir falar. Sua missão, mãe, é treiná-la com paciência, e com firmeza, para que o coração de sua filha aprenda a obedecer a todos os tipos de autoridade. Deus é o primeiro na lista. Desse modo, a obediência a você e ao pai, depois aos professores na escola, e então às figuras de autoridade e às regras, e às leis, seguirão logo atrás.

DOIS TIPOS DE CORAÇÃO

Se você já leu algum dos meus livros que contêm no título a expressão *segundo o coração de Deus*, sabe que essa frase provém da Bíblia — de Atos dos Apóstolos 13:22. Ali Deus apresenta uma descrição do homem Davi e testifica: *Achei Davi, filho de Jessé, homem segundo o meu coração, que fará toda a minha vontade.*

Esse comentário estava em pronunciado contraste com o caráter de Saul. Davi tinha um coração obediente. Ele respondia ao Senhor Deus com o desejo de fazer o que era certo. Queria seguir a Deus e à sua vontade. Saul, por sua vez, tinha o coração egoísta. A obediência que prestava era apenas exterior. Ele não se preocupava em cumprir a vontade de Deus. Saul queria apenas fazer tudo à sua maneira.

Deus deu a esses dois homens a mesma oportunidade — a honra de liderar o povo de Deus, a nação de Israel. Entretanto, no fim, eles percorreram dois caminhos bem distintos. Davi caminhou na direção de Deus, e Saul se distanciou do Senhor.

Agora passemos do coração de Davi e de Saul para o seu coração. A vida de treinamento começa com você, mãe, com seu coração. Sua filha precisa que você seja o modelo de um coração que ama a Deus e deseja seguir a vontade do Senhor. Onde mais ela poderá ver essa característica piedosa tão próxima e de forma tão pessoal — e isso todos os dias —, senão na própria mãe? Portanto, um grande passo para que sua filha desenvolva um coração obediente é ver um modelo de obediência na mãe. Esse é o "treinamento passivo" que ela recebe enquanto você a ensina por meio de seu exemplo. Bem, passemos então ao "treinamento ativo"!

"INSTRUI A CRIANÇA"

Essas são as palavras iniciais de Provérbios 22:6 que diz aos pais o seguinte: *Instrui a criança no caminho em que deve andar, e mesmo quando envelhecer não se desviará dele.*

Aos 28 anos de idade, quando eu era uma jovem recém-convertida e mãe de duas meninas, escutei esse versículo pela primeira vez em um grupo de mães da igreja. Soou como um fabuloso "versículo para a maternidade". Portanto, arregacei as mangas de mãe e tentei fazer exatamente o que o versículo nos instrui a fazer. Mais tarde, comecei a estudar em um grupo de mães e, por fim, a ensinar nesses grupos. Queria ter maior compreensão do que significa "instruir" uma criança.

Nos livros que retirei da biblioteca da igreja, aprendi que o verbo traduzido por "instruir" inclui a ideia de "estreitar" ou "restringir". Em outras palavras, instruir significa construir canaletas que canalizem o comportamento correto. A educação de uma criança envolve iniciá-la na direção certa, ao "estreitar" sua conduta, a fim de que se desvie do mal e caminhe em direção à santidade. Um estudioso da Bíblia sugere que um dos possíveis significados de "instruir" é "dedicar a criança a Deus. Preparar a criança para suas futuras responsabilidades. Exercitar ou treinar a criança para a vida adulta".[1]

A seguir, descobri que *no caminho em que deve andar* significa o caminho apropriado, o caminho do viver sábio e piedoso. Esse caminho é enfatizado em todo o livro de Provérbios como o caminho da sabedoria. Quando um dos pais é fiel na instrução da *criança no caminho em que deve andar*, essa criança continuará nele quando crescer e chegar à vida adulta. Para repetir a afirmação desse estudioso da Bíblia, isso equivale a "preparar a criança para suas futuras responsabilidades". Significa que, além de ajudar a criança a crescer espiritualmente, você também deve oferecer orientação quanto aos aspectos físico, mental, social e financeiro da vida cotidiana. Mãe, como você pode ver, sua tarefa de treinamento está bastante clara!

E qual é o "lugar ideal" para o treinamento, a fim de preparar sua filha para finalmente se tornar uma mulher segundo o coração de Deus? Sua casa!

A fim de tornar sua tarefa de treinamento mais fácil, Deus dá um comando específico para você ensinar à sua filha: ela deve ser obediente a seus *pais no Senhor, pois isso é justo* (Efésios 6:1). É isso aí! Essa é a razão pela qual posso dizer que o treinamento cristão começa em casa. Se sua filha aprender a seguir essa ordem, ela estará a caminho de se tornar não só uma filha segundo o coração de Deus, mas, algum dia, mais cedo do que você imagina, será uma mulher que segue o Senhor de todo coração.

Efésios 6:1 parece defender a causa materna, não é mesmo? Quero dizer, se sua filha obedecesse a tudo o que você pedisse, a maternidade seria um sonho! No entanto, Deus sabe que, aprendendo a obediência em casa, em relação a você e ao pai, sua filha será obediente e submissa a Deus e à sua Palavra, às leis da terra e às autoridades da escola e da sociedade.

A DISCIPLINA FAZ PARTE DO TREINAMENTO

Meu marido, quando criança, praticava todo tipo de esporte na escola. Amava competir. Amava praticar exercícios físicos. E amava pertencer ao time e fazer parte de algo tão estimulante. Contudo, não amava o que acontecia quando falhava em fazer o que o treinador queria — quando tinha de dar voltas adicionais na pista, treinar por mais tempo ou sentar-se no banco enquanto os outros entravam em campo.

Bem, minha caríssima companheira e mãe-treinadora, você também precisará praticar um pouco de disciplina. Precisará dedicar algum tempo para corrigir o comportamento de sua filha e fazer prevalecer as regras da família. Precisará trabalhar como parceira de Deus — o sublime treinador — e seguir as regras do Senhor para os pais enquanto trabalha ao lado dele na vida de sua filha. Aqui estão algumas diretrizes para o treinamento, úteis para aqueles momentos em que as coisas parecem não caminhar "como deveriam". Você precisa...

- Perceber a razão da disciplina: *A tolice está ligada ao coração da criança, mas a vara da correção a livrará dela* (Provérbios 22:15).
- Ver o lado bom da disciplina: *Corrige teu filho enquanto há esperança* (Provérbios 19:18).
- Aprender a disciplinar da forma correta: *Odeia seu filho quem o poupa da vara, mas quem o ama o castiga no tempo certo* (Provérbios 13:24).
- Compreender o benefício da disciplina: *Não retires a disciplina da criança, pois, se a castigares com a vara, ela não morrerá. Castigando-a com a vara tu a livrarás da sepultura* (Provérbios 23:13,14).
- Aprender a bênção pessoal da disciplina: *Corrige teu filho, e ele te dará descanso, sim, ele agradará teu coração* (Provérbios 29:17).

Acredite em mim: eu sei que a instrução de Deus referente à disciplina pode ser difícil de aceitar e ainda mais difícil de praticar. E conheço muito bem os argumentos e críticas contra disciplinar as crianças. Aqui estão algumas das desculpas favoritas de mães que não disciplinam seus filhos:

— Você está brincando? Isso é abuso físico!
— Não posso fazer nada que inflija dor.
— Tentei fazer isso uma vez e não funcionou.

— Certamente há outras maneiras de fazer minha filha obedecer.

— Eu apenas converso com minha filha.

— Minha filha é tão fofinha! Como eu poderia fazê-la chorar?

— Crianças são crianças! É lógico que vão se comportar de forma inconveniente. E daí?

— Minha filha é boa. Ela vai deixar esse comportamento inadequado para trás quando crescer. Apenas preciso dar tempo a ela.

— A disciplina é bárbara e cheira a "era das trevas".

— Meu marido e eu não concordamos sobre como disciplinar, portanto não disciplinamos.

— A disciplina demanda muito tempo, algo de que não disponho.

— Não gosto de disciplinar. Só quero momentos de alegria.

— A disciplina destrói a harmonia familiar.

— Não sei como disciplinar, por isso não faço nada.

— Tenho medo de agir errado, então nunca faço nada.

— Meu estilo não inclui confrontação.

— Deixo para a escola lidar com a questão da disciplina.

— Não sei se acredito no que a Bíblia diz sobre a disciplina da criança.

Este paralelo nos pode encorajar: zele pela disciplina de sua filha como se você estivesse cuidando de uma roseira. Você sabe que, se podar e colocar uma roseira em determinada posição, ela crescerá de forma saudável e dará rosas perfumadas e esplêndidas. O jardineiro precisa cortar o que é feio e não saudável, antes que a roseira possa apresentar aos nossos olhos toda a sua beleza.

Assuma a parte difícil, caríssima mãe. Discipline sua filha. Deus quer que ela se torne uma jovem mulher com beleza refinada, esculpida e graciosa (v. Salmos 144:12).

ÁREAS DA VIDA QUE EXIGEM UMA TREINADORA

Seguindo em frente... a Bíblia nos lembra de que há tempo para derrubar e tempo para edificar (cf. Eclesiastes 3:3). Digamos que a correção de sua filha represente o "derrubar" dos maus hábitos e comportamentos ruins. Depois vem a parte divertida — o treinamento para a vida, a edificação do caráter de sua princesa.

Assim que sua filha aprender a obedecer, o ensinamento em todas as outras áreas da vida será uma alegria.

A vida espiritual

Assim que sua filha aprender a obedecer, o ensinamento em todas as outras áreas da vida será uma alegria. Ela será uma aluna disposta enquanto você a treina em direção à maturidade — especialmente a maturidade espiritual. O treinamento incluirá aprender a estudar a Bíblia e como orar. À medida que sua filha levar a sério seu treinamento, refletirá o coração de Jesus e o fruto do Espírito, tornando-se uma mulher de grande beleza.

A vida física

Algumas meninas parecem ter nascido com um senso interior sobre o que é delicado e apropriado. Desde a mais tenra idade, são organizadas e preocupadas com a limpeza. E temos o restante das meninas, que precisam de ajuda em praticamente todas as áreas da vida física! Você tem o privilégio de treinar sua filha em todas as áreas referentes à saúde — escolha de alimentos, exercícios, higiene dental e descanso. Sua filha também precisa de treinamento quando ocorrerem as mudanças naturais que todas as meninas enfrentam. E precisa de sua orientação sobre roupas modestas, maquiagem e estilos de

90   EDUCANDO FILHAS SEGUNDO O CORAÇÃO DE DEUS

penteado. Você deve se certificar de que o mundo não tenha a possibilidade de treinar sua menina! Não, ela precisa compreender os padrões de Deus para a vida física com *você*, com a treinadora que a ama e se preocupa com ela.

A vida financeira

Desde a primeira mesada ou a primeira nota de dez reais ganha em um cartão de aniversário, sua menina depara com a necessidade de lidar com dinheiro. O dinheiro é um bem necessário em nosso cotidiano, e sua filha precisa aprender a administrá-lo. Cada dia é uma oportunidade para você ensinar o que a Bíblia diz sobre o uso do dinheiro e seu lugar apropriado na vida. Sua filha precisará aprender a ganhá-lo, economizá-lo, administrá-lo e doá-lo. E você deve treiná-la sobre o que Deus diz a respeito da relação entre o trabalho árduo e as recompensas financeiras. Vista seu chapéu de treinadora e arregace as mangas!

A vida social

Este livro inclui um capítulo sobre sua missão como *promoter* na vida de sua filha. Por ora, no entanto, apenas tome consciência de que você, como mãe, pode, até certo ponto, controlar as amizades e o tempo gasto por sua filha com amigas e amigos. E pode instruí-la e orientá-la sobre comportamento enquanto ela estiver morando com você na mesma casa. Todavia, à medida que o tempo passa, sua filha passará cada vez menos tempo com você. Nesse período, a forma com que você pode treiná-la, em particular determinará a forma com que ela se conduzirá em público mais tarde. Seu objetivo é inculcar no coração e na mente dela o que a Palavra de Deus ensina sobre os tipos de amizade que devemos ter ou evitar.

A vida vocacional

Sua filha é uma pessoa única. Bem, ela tem parte de sua herança genética, mas não é você. E Deus não quer que ela seja vista como uma extensão de suas esperanças e de seus sonhos não realizados. Já encontrei muitas mães que quiseram a vida toda ser animadoras de torcida, mas jamais conseguiram um lugar no grupo de meninas responsável por isso. Portanto, o que essa mãe faz quando uma filha nasce? Ela decide: "Essa garota será uma animadora de torcida, mesmo que isso custe minha vida... e a dela!"

Mãe, seu trabalho, como treinadora de sua filha, é apresentá-la a uma variedade de buscas que levem à descoberta das habilidades e dos talentos dados a ela por Deus. Ao encorajá-la a fazer artesanato, a estudar música e línguas, a escrever um diário etc., você a ajudará a se tornar consciente do que ela ama e das áreas em que se sai melhor. Assim que essas aptidões são reveladas e desenvolvidas, permitem a expressão e a realização pessoal de sua criatividade em casa, na igreja e na comunidade. E quem sabe essas atividades não levem sua filha a escolher uma profissão em particular?

A vida intelectual

Deus deu à sua menina um intelecto e espera que esse intelecto funcione em seu melhor nível de capacidade. É aí que você entra em ação, mãe. Você tem 18 anos ou mais para ajudar sua filha a desenvolver o intelecto. Para isso, você deve prestar atenção a três áreas: leitura, escrita e aritmética.

Você não sabe onde Deus posicionará sua filha quando ela for adulta. Contudo, sabe que precisa prepará-la para o futuro. Será que ela abraçará a carreira de cientista, farmacêutica ou administradora e usará o intelecto para pesquisar e liderar? Será que se mudará para um país estrangeiro e usará o intelecto para aprender uma nova língua? Será que se casará com um homem que serve a Deus no campo missionário e usará o intelecto para fazer a tradução da Bíblia para uma língua

92 EDUCANDO FILHAS SEGUNDO O CORAÇÃO DE DEUS

nativa? Será que ela terá um filho com alguma doença que implique risco de vida ou com alguma deficiência permanente, e usará o intelecto para aprender a melhor maneira de cuidar desse ser precioso? Ou ela — como todas as donas de casa — administrará um lar com muitas demandas, entre elas cuidar do orçamento doméstico, fazer todo o planejamento e preparar as refeições, criar um cronograma de atividades e talvez até mesmo ter uma escola em casa para as crianças e... bem, você conhece todas as possibilidades.

As maneiras pelas quais sua filha pode usar o intelecto são tão ilimitadas e desconhecidas quanto seu futuro. A tarefa da mãe? Treiná-la, a fim de que desfrute do aprendizado, faça a lição de casa, seja uma boa leitora e aumente a capacidade intelectual ao explorar novos assuntos.

A vida familiar

Você encontrará neste livro um capítulo inteiro a respeito desta que é a área mais básica da vida. Por ora, observe que é essencial treinar sua filha para que atue na unidade familiar. Com certeza, por enquanto, ela é filha e irmã. Um dia, no entanto, ela provavelmente será esposa e mãe e terá uma família só dela. Sua tarefa agora é ensinar sua menina a ser uma filha, irmã e neta amorosa. Você mostrará a ela como agir quando for necessário ser gentil e útil para com seus irmãos (como ajudar o irmão a encontrar a mochila, em vez de gritar com ele e, secretamente, alegrar-se por ele ter perdido a mochila). Você a treinará para poupar o pai. Inculcará nela a cortesia de enviar notas de agradecimento aos familiares que lhes dão presentes e de demonstrar gentileza ao mandar espontaneamente cartões e cartas, *e-mails* e mensagens de texto — e até mesmo fazer telefonemas!

Permita que sua filha veja com os próprios olhos e ouça com os próprios ouvidos como você é atenciosa com os outros, como gosta de ser útil e gentil em casa; como jamais deixa de caminhar uma milha a mais para servir à família com alegria e coração generoso.

A vida na igreja

Sinto dizer que este ponto é crucial. A igreja é essencial na educação de uma filha segundo o coração de Deus. Portanto, você, mãe, mulher fervorosa, tem a maravilhosa oportunidade de treinar sua filha, a fim de que ela conheça a importância de frequentar a igreja, envolver-se na obra e participar de um ministério.

— Qual a melhor forma de fazer isso? Primeiro, comece bem cedo! Ajude sua filha a desenvolver um coração grato, gentil e disposto a ajudar as pessoas. Então faça-a acompanhar você na igreja, para que ela possa observar sua postura. Deixe-a ver como você ministra a outras pessoas e como você serve com coração cristão. Imagine se a igreja puder contar com vocês *duas* porque você ensina fielmente seu amor pela igreja!

UMA PALAVRA DE ENCORAJAMENTO

Deus lhe deu a incumbência de educar sua filha para que ela o siga. E ele lhe deu tudo aquilo de que você necessita para essa tarefa: os princípios e as instruções contidos na Palavra de Deus; a sabedoria, quando você pedir por ela (cf. Tiago 1:5); o fruto do Espírito — amor, paciência e domínio próprio —, sempre que você necessitar dele (v. Gálatas 5:22,23); o caminho da oração, sua ligação direta com o Senhor, quando você usar esse recurso; mentores no corpo de Cristo — pessoas que podem orientá-la. Conforme assegura um dos meus textos favoritos nas Escrituras: *Seu divino poder nos tem dado tudo que diz respeito à vida e à piedade* (2Pedro 1:3).

Você pode!

A seguir, reunimos algumas sugestões que podem contribuir para que você se torne a mãe que sonha ser. Cada uma delas ajudará você a melhorar sua vida... e a de sua filha também. Aqui vamos nós!

Comece com os fundamentos

Nunca é cedo demais para começar a preparar sua filha para agir corretamente nas áreas básicas da vida — e certamente nunca é tarde demais para dar início a esse treinamento. Obviamente, a área espiritual é essencial. No entanto, as áreas intelectual, física, social, financeira e vocacional fazem parte do cotidiano de sua filha. E é verdade que, se você estiver começando quando ela for mais velha, os desafios — e talvez até mesmo a resistência — poderão ser maiores. Todavia, as bênçãos, com sua persistência fiel e o coração cheio de amor, também serão enormes! Em seu caderno de oração ou talvez em um livro intitulado "O coração de minha filha", abra uma entrada para cada área da vida em que o treinamento é necessário e comece a escrever os objetivos e as ideias para trabalhar com sua filha.

Obtenha a ajuda necessária

Talvez você seja como eu era no princípio, e não faça a menor ideia sobre o que significa ser uma mãe cristã. O que fazer então? Você pode matricular-se em um curso para pais. Ali você aprenderá os princípios bíblicos sobre como educar os filhos — princípios que duram para a vida toda. Essas diretrizes das Escrituras passaram no teste do tempo e ajudam você a mostrar à sua filha o que Deus diz sobre cada aspecto prático da vida. E você também pode ler alguns livros. Na realidade, leia vários! Leia um pouquinho por dia para se manter sempre alerta enquanto educa sua filha desde a infância até a adolescência. Não deixe de se beneficiar com a sabedoria que os livros podem lhe fornecer.

Siga o bom exemplo de outras pessoas

Pense em uma mãe que você admira. Depois, descreva-a. O que você aprecia ou vê nessa mulher que gostaria de imitar? E pense nos pais que parecem agir em sintonia na educação dos filhos. Comece observando de que maneira eles lidam com os filhos. Depois faça o que meu marido e eu fizemos: precisamos tomar uma decisão quando as meninas eram adolescentes e pedimos o conselho de alguns casais. As respostas encorajadoras, úteis e específicas serviram para nos orientar. Muitas pessoas já caminharam pela estrada em que você se encontra neste momento. Observe, olhe, ouça e escreva o que elas têm a dizer. Depois coloque em prática as lições aprendidas!

Continue fazendo ajustes

As coisas mudam. Você muda. Sua filha muda. A organização da família muda. E há outros tipos de mudança — mudar de cidade ou estado, iniciar um novo trabalho. Com todas essas mudanças, espera-se que você se transforme em uma mulher e mãe mais parecida com Cristo. Portanto, reveja e ajuste regularmente suas estratégias para educar sua filha. Avalie constantemente seu treinamento e seus métodos disciplinares. O que funciona? O que não funciona? Ore e não tema — nem seja tomada pelo orgulho. Busque conselho se as coisas não estiverem funcionando. Há muita ajuda disponível — basta pedir! Que ajustes você precisa fazer hoje?

Divirta-se durante a caminhada

Ser mãe implica um enorme trabalho, um trabalho de 24 horas por dia, sete dias por semana! Contudo, essa tarefa pode e

EDUCANDO FILHAS SEGUNDO O CORAÇÃO DE DEUS

deve ser divertida. O treinamento leva tempo, exige esforço e planejamento, mas isso não quer dizer que você e sua filha não possam se divertir muito ao longo da caminhada. Faça brincadeiras sempre que puder. Planeje eventos divertidos. Viajem juntas. Leve sua filha adolescente para um retiro de mulheres. Como treinadora, planeje muita diversão.

O bloco de reflexões maternas

Antes de seguir para sua próxima missão de mãe, separe 1 ou 2 minutos para refletir sobre como você pode manter-se alinhada com Deus. Planeje alguns poucos passos que farão uma grande diferença em sua vida e na vida de sua filha:

1. O que fiz ontem para treinar, instruir e orientar minha filha? Uma pergunta melhor é esta: O que farei amanhã para ser ativamente sua treinadora?

   _____

   _____

   _____

   _____

2. Senhor, ajude-me a estabelecer um objetivo semanal para minha filha em cada uma destas áreas:

   • Espiritual:

   _____

   _____

   • Física:

   _____

   _____

- Social:

- Vocacional:

- Intelectual:

- Familiar:

- Na igreja:

3. Estou pensando no que significa "treinar" minha filha. Que limites preciso estabelecer para construir seu caráter?

4. Senhor, é difícil, mas aceito que o Senhor quer que eu discipline efetivamente e treine assiduamente minha filha. Ajude-me a fazer isso um dia de cada vez. Ajude-me a dar o seguinte passo amanhã:

capítulo 5

A MULHER FERVOROSA

*[...] Deixai as crianças virem a mim e não as impeçais,
porque o reino de Deus é dos que são como elas.*

— MARCOS 10:14

E ra sexta-feira à noite. Jim e eu acabáramos de passar duas horas agradáveis em uma lanchonete perto de casa. Essa era nossa "noite para namorar" — a noite em que nossas filhas adolescentes iam para o encontro semanal de jovens, para estudarem a Bíblia. Já havíamos resolvido todos os problemas do mundo e alguns nossos também. Portanto, estávamos nos sentindo muito bem enquanto seguíamos em direção ao estacionamento da igreja para pegar as meninas. No entanto, o que estávamos prestes a experimentar se tornou uma história que foi repetida ao longo dos anos, sempre que nos reunimos em família. Quando paramos o carro perto do ginásio de esportes, o grupo estava acabando o estudo daquela noite. Os jovens estavam saindo e caminhavam para se encontrar com os pais. Nossas filhas nos viram, vieram até o carro e, cheias de empolgação, pularam no banco de trás. As duas começaram a falar sem parar e ao mesmo tempo — tanto que não conseguíamos compreender o que estavam dizendo. Só compreendemos um pouco aqui e outro pouco ali: "Repulsiva?", "Uma língua?", "A língua de uma vaca?", "Passaram para todos no grupo?", "Todos tiveram de tocar essa língua?"...

Por fim, conseguimos acalmá-las para que relatassem o que acontecera naquela noite no grupo de jovens. O líder fora ao açougue e comprara uma língua de vaca. Ele passou essa língua para os jovens ali presentes, para ter a certeza de que todos eles a veriam muito bem e de que todos tocariam aquela língua. Daí, ele começou a mostrar como é horrível usarmos a língua para ferir as pessoas com nossas intrigas e palavras carregadas de ódio.

Aquela noite causou um grande impacto em minhas filhas — e em nós também: Jim e eu. Ao longo dos anos, toda vez que o assunto intriga, maledicência ou palavras mesquinhas era discutido, aquela horrorosa língua de vaca vinha à tona. Até hoje, todos nós ainda falamos sobre aquela língua repulsiva; e isso, mais de 25 anos após o ocorrido!

A IMPORTÂNCIA DA IGREJA PARA A FAMÍLIA

Caríssima mãe, não há espaço para compartilhar com você tudo o que frequentar igreja e levar nossas filhas conosco representou para nós, como família. Quando nos convertemos a Cristo, minhas filhas eram pequenas, e era fácil e divertido levá-las à igreja. Quando elas cresceram, ir à igreja já se tornara natural e parte de nossa rotina semanal. Havia muita empolgação com as coisas da igreja! Procuramos fazer com que Katherine e Courtney participassem de todas as atividades para crianças e jovens. Íamos todos juntos à igreja também durante a semana. Não tínhamos muito dinheiro, mas considerávamos uma prioridade economizar para que as meninas participassem dos acampamentos de inverno e de verão.

Jim e eu queríamos que Katherine e Courtney experimentassem Jesus no maior número de contextos possíveis. Se houvesse um evento de jovens na sexta-feira à noite, nós as levávamos à igreja e depois íamos buscá-las. Enquanto as meninas estavam nos encontros, Jim e eu passávamos o tempo jogando boliche, patinando no gelo ou visitando a família do pastor. E algumas vezes as atividades terminavam muito tarde. No entanto, esse era um pequeno sacrifício por aquilo que — assim esperávamos e orávamos por isso — nos daria colheitas com dividendos eternos.

E o que aconteceu? Pela graça de Deus — e talvez um pouco devido ao nosso exemplo e compromisso de tempo e esforço — nossas pequenas cresceram, amadureceram e se tornaram seguidoras de Cristo. E hoje, várias décadas mais tarde, elas levam suas pequenas à igreja, e essas pequenas estão aprendendo a amar Jesus e sua Palavra, além de desfrutar das amizades e da comunhão que vivenciam em suas igrejas.

A hora é agora

Não sei em que estágio da educação de sua filha você se encontra no momento, mas nunca é cedo demais para levá-la à igreja. (Maria levou Jesus à "igreja" quando ele tinha apenas 8 dias de vida. Nós o encontramos no templo novamente aos 12 anos — veja Lucas 2:21,41-46.) E também nunca é tarde demais para levar sua filha à igreja. Quanto mais ela frequentar a igreja, mais amizades fará, mais se sentirá ambientada, e mais se divertirá. E, é claro, mais constante e poderosa será a influência da Palavra de Deus no coração e na mente de sua filha.

Você talvez esteja lendo este meu conselho e pensando: *Já tentei levar minha filha à igreja, mas ela não quer ir. Portanto, não insisti no assunto, especialmente porque eu mesma não sou tão fiel assim. E agora ela é mais velha e não dá a menor importância para as coisas espirituais.* Bem, reflita por um minuto. A hora é agora. Comece a orar. E comece a ser fiel sobre frequentar a igreja.

Espera-se que você, responsável por treinar sua filha nas coisas do Senhor, já tenha entendido a importância da igreja e, por essa razão, venha levando sua filha à Casa do Senhor com frequência. Contudo, talvez você seja recém-convertida (como eu era quando minhas filhas eram pequenas) ou talvez ainda não tenha percebido a importância da igreja. Para você, a hora é agora! Comece a ser a mulher fervorosa que ama e respeita a igreja.

Ou talvez sua filha ainda não tenha chegado ao mesmo nível de fé e compreensão das coisas de Deus em que você se encontra agora. Isso não importa. Não permita que a condição espiritual de sua filha a detenha. Não abandone nem desista do seu alvo. Mais uma vez, a hora é agora. Revista-se da mentalidade fervorosa e tome a decisão de ir à igreja, apegando-se firmemente a essa decisão. E não se esqueça de tornar a igreja algo especial — compre doces no trajeto para a igreja ou saia para almoçar após o culto. Encoraje sua filha a levar uma amiga. Certifique-se de incluir muito amor, encorajamento e oração para que Deus quebrante o coração de sua filha e mostre a ela a alegria de conhecer ao Senhor.

JESUS AMA AS CRIANÇAS

Essas palavras me trazem à lembrança uma cena da Bíblia muito tocante e nos dão uma boa percepção quanto ao amor de Jesus pelas crianças. A cena é descrita em Marcos 10:13-16. Depois de ler essa doce história, observe as diferentes personagens, suas respostas e as lições de vida para você, mãe.

> *Alguns* [pais] *lhe traziam crianças para que as tocasse, mas os discípulos os repreendiam. Jesus, porém, vendo isso, indignou-se e disse-lhes: Deixai as crianças virem a mim e não as impeçais, porque o reino de Deus é dos que são como elas. Em verdade vos digo que qualquer pessoa que não receber o reino de Deus como uma criança, jamais entrará nele. E, pegando-as nos braços, abençoou-as, impondo-lhes as mãos.*

Os pais... fizeram um esforço para levar os filhos a Jesus. Eles estavam fazendo a coisa certa. Tinham altas prioridades e

102   Educando filhas segundo o coração de Deus

achavam que era muito importante apresentar seus pequenos a Jesus. (Lição: Esses pais são modelos positivos para você seguir.)

Os discípulos... estavam tentando proteger Jesus das multidões e de aborrecimentos inoportunos. Na mente deles, aquelas crianças não eram importantes e pertenciam à "categoria de interrupção nada bem-vinda". *Certamente*, eles podem ter pensado: *essas crianças são muito jovens para receber a verdade do Mestre!* (Lição: Não use desculpas para deixar de ensinar a verdade bíblica a seus pequeninos ou deixar de levá-los à igreja.)

Jesus... aproveitou a ocasião para demonstrar duas verdades: primeiro, ele usou as crianças como uma ilustração, tanto para os pais quanto para os discípulos, bem como para nós, hoje, mostrando que o Reino de Deus deve ser recebido com a fé semelhante à de uma criança. Ele demonstrou o relacionamento especial que quer ter com as crianças. Tocou-as, tomou-as nos braços e as abençoou (v. 16). (Lição: Essa é uma cena que Jesus gostaria de repetir com sua filha; mas, para isso, você deve levá-la até ele.)

Quanto você se dedica a levar sua filha à presença de Jesus? Você lê para ela as histórias e os ensinamentos de Jesus contidos na Bíblia? E quanto comprometida você está em ser uma mulher fervorosa? Você leva sua filha com frequência à igreja? Só a graça de Deus pode salvar uma criança, mas aqui está um ponto sobre o qual é preciso meditar: você precisa certificar-se de que sua filha seja apresentada a Jesus desde a mais tenra idade e de forma regular. "As pessoas têm mais propensão para aceitar a Cristo como Salvador quando são jovens. A absorção da informação e dos princípios da Bíblia em geral alcança o ápice na pré-adolescência."[1]

O LOCAL DA ADORAÇÃO

Você pode estar pensando: *Por que ir à "igreja" — e a "igreja" em si — é algo tão importante? Qual é a importância desse local? Não podemos adorar Jesus em qualquer lugar e em qualquer momento?* Boas perguntas! E a Bíblia nos mostra a razão pela qual a igreja é importante. Com a vinda do Deus encarnado, Jesus anunciou que Deus é Espírito e, por ser Espírito, pode ser adorado em qualquer lugar e a qualquer momento (v. João 4:23,24). Será que isso significa que você e sua família podem adorar a Deus em casa ou enquanto estiverem acampados em um bosque? É claro que sim!

No entanto, isso não explica por que o próprio Jesus instituiu uma reunião de seguidores à qual chamou de *minha igreja* (Mateus 16:18). No texto grego original do Novo Testamento, o termo traduzido por "igreja" em português provém de uma palavra que significa "os chamados". Esses "chamados" se reuniram e, depois que Jesus retornou ao céu, tornaram-se o "corpo de Cristo" visível. O costume de se reunir como um corpo de seguidores de Cristo foi replicado ao longo dos séculos. Na realidade, o escritor do livro de Hebreus encoraja os leitores e todos os cristãos ao longo dos séculos a continuar com esse padrão de adoração regular em grupo:

> *Pensemos em como nos estimular uns aos outros ao amor e às boas obras, não abandonemos a prática de nos reunir, como é costume de alguns, mas, pelo contrário, animemo-nos uns aos outros, quanto mais vedes que o Dia se aproxima* (Hebreus 10:24,25).

Na igreja, os cristãos têm a oportunidade de adorar juntos a Deus e de se encontrar, com o propósito da múltipla edificação. É vital para sua filha fazer parte dessa reunião em que a fé em Jesus é compartilhada, por meio da qual ela pode ser fortalecida por outras pessoas. E é extremamente importante para sua filha saber que você vê essa experiência como uma prioridade máxima. Você, como uma mulher fervorosa, precisa levar sua filha à igreja com a atitude correta e com os propósitos corretos.

A maioria das crianças pequenas ama as experiências com o grupo da igreja e anseia por elas. Portanto, faça sua parte e confie no Senhor.

Infelizmente, algumas pessoas acham que, para cumprir sua obrigação para com Deus, basta que estejam fisicamente presentes na igreja. O problema com esse tipo de pensamento é que apenas "aparecer" na igreja não qualifica ninguém automaticamente para a adoração. O ato de ir à igreja jamais se restringiu a simplesmente algo que você faz aos domingos. E não deve ser apenas um programa de domingo socialmente aceito, porque é isso que a sociedade espera de você e de sua família. Não, ir à igreja é um sacrifício de adoração. Ali você encontra um lugar e uma oportunidade para concentrar-se em Deus e seu Filho e para aprender mais sobre eles por meio da pregação e do ensinamento da Palavra.

RAZÕES PELAS QUAIS AS MÃES NÃO LEVAM SUAS FILHAS À IGREJA

Ao longo dos anos, já fui mentora de centenas de mães. O primeiro assunto tratado em nossos encontros era como poderíamos estabelecer um relacionamento pessoal com Cristo. O segundo era garantir que aquelas mães tivessem um cronograma que incluísse algum tempo — todos os dias — para estudar a Palavra de Deus. E o terceiro em minha lista de coisas que precisavam ser feitas era garantir que mães e filhos fossem à igreja — que cada mãe se tornasse uma mulher fervorosa. Como você bem pode imaginar, ouvi muitas desculpas para não fazer isso. A seguir, apresento uma breve lista dessas desculpas. Talvez você se identifique com algumas delas.

"A igreja não é tão importante." Quando a igreja não é vista como essencial para o crescimento espiritual e para a maturidade de sua filha, passa a ser como qualquer outra atividade, como, por exemplo, jogar futebol ou participar de algum evento competitivo.

"Domingo é o único dia que temos para passarmos juntos em família. Temos centenas de atividades durante a semana, portanto tentamos passar algum tempo de qualidade juntos aos domingos." Talvez isso seja verdade no que diz respeito a seu cronograma. No entanto, ir à igreja juntos é o que faz Cristo se tornar a liga que sustenta e fortalece os laços familiares. Leve seus filhos à igreja. Não os prive do entusiasmo que eles podem encontrar nas coisas de Deus. Permita que eles sejam parte de algo vivo, espiritualmente vivo! Depois, passem a tarde juntos em família.

"Eu trabalho aos domingos. Não conheço ninguém que possa levar minha filha à igreja." Talvez não haja nada que você possa fazer sobre o fato de trabalhar aos domingos. Contudo, será que você não poderia ir à igreja no domingo à noite? Ou em algum encontro à tarde ou à noite durante a semana? É aí que você e sua filha e sua família desfrutam da exposição a Jesus. É na igreja que o crescimento espiritual acontece. Priorize a frequência à igreja, mesmo que isso signifique participar de uma reunião ou um culto à noite durante a semana.

"Minha filha não gosta do grupo de jovens. Ela sente que não pertence ao grupo." Não permita que esse tipo de alegação a impeçam de levar sua filha à igreja. Desafie sua menina a dar uma chance para o grupo de jovens, participando pelo menos de quatro reuniões. Ou sugira que ela convide uma ou duas amigas. Ou talvez você possa ajudá-la a fazer parte da liderança do grupo.

"Tenho medo de deixar minha filha com um grupo de crianças. Ela pode ficar doente." É verdade, isso pode acontecer. Todas as

crianças, cedo ou tarde, ficam doentes. No entanto, você tem todo o direito de perguntar aos responsáveis pelo berçário ou pela sala de aula sobre as precauções concernentes à saúde que são tomadas ali. A maioria das igrejas leva a sério a higienização semanal de todos os itens do berçário e das salas de aula. E a maioria das crianças pequenas *ama* as experiências com o grupo da igreja e anseia por elas. Portanto, faça sua parte e confie no Senhor.

"Minha filha pequena chora e faz birra. Ela não quer que eu a deixe em sua sala de aula na igreja. É muita dor de cabeça." O que você nem sempre sabe é que a maioria das crianças para de chorar e começa a brincar, assim que a mãe desaparece de vista. Seja forte e firme. Lembre-se de que esse é um importante treino porque, se o Senhor assim permitir, sua filha irá à igreja pelo resto da vida.

"Minha filha já frequenta uma escola cristã. Não quero que a religião ocupe 24 horas por dia nos 7 dias da semana na vida da minha filha. Ela precisa de algum tempo livre em que fique distante dos assuntos da igreja." Frequentar uma escola cristã é uma experiência maravilhosa, mas não é algo que tenha sido ordenado na Bíblia e não equivale a frequentar as reuniões na igreja. Em uma escola cristã, sua filha receberá educação. Na igreja, ela terá a oportunidade de adorar a Deus, aprender a Palavra de Deus e ser espiritualmente estimulada por outras crianças cristãs.

POR QUE A IGREJA É TÃO IMPORTANTE

E quer saber de uma coisa? Em vez de enfatizar as razões pelas quais *não* levamos nossas filhas à igreja, vamos nos concentrar nas razões pelas quais a igreja é essencial — por que é vital que sejamos mulheres fervorosas.

A igreja é um lugar onde você e sua filha ouvem os ensinamentos da Palavra de Deus. Que coisas maravilhosas você terá para compartilhar com ela durante a semana! Por quê? Porque vocês duas foram à igreja juntas.

A igreja é um lugar onde você e sua filha têm a oportunidade de servir aos outros. Que bênção — e que diversão! — é trabalhar lado a lado como uma equipe, ajudando os necessitados, servindo refeições e preparando a igreja para as atividades ou ajudando na limpeza depois do culto.

A igreja é um lugar onde você e sua filha farão novas amizades com crianças e jovens cristãos. Esses relacionamentos fortalecem e sustentam sua filha em um mundo de descrença e maldade. Quando vocês vão à igreja juntas, você está de fato proporcionando a ela essa dádiva.

A frequência à igreja mostra o que é importante em sua vida. Essa atitude proclama aos quatro ventos seu amor por Deus e o fato de que o Senhor ocupa a prioridade máxima em seu coração.

Você pode!

A seguir, reunimos algumas sugestões que podem contribuir para que você se torne a mãe que sonha ser. Cada uma delas ajudará você a melhorar sua vida... e a de sua filha também. Aqui vamos nós!

Converse sobre a igreja

O que é importante para você? Seja o que for, é sobre isso que você deve falar com sua filha. Outra maneira de fazer soar seu sino de ovelha-guia é falar sobre as alegrias e a importância da igreja. É algo tão simples quanto mencionar alguma parte do sermão do pastor. Ou talvez compartilhar alguma brincadeira que ele tenha feito no púlpito. Ou simplesmente dizer: "Meu doce! Lembra-se de sua lição na igreja? Faça aos outros como você gostaria que fizessem a você? Vamos ajudar o senhor White a colocar o lixo na rua". Ou: "Katie, vamos levar alguns desses biscoitos fresquinhos para nossos vizinhos, já que a mãe deles está doente?" E você sempre pode fazer a contagem regressiva: "Ei, querida, só faltam dois dias para irmos à igreja... para sua reunião do grupo de jovens... para uma visita aos necessitados... ou para o acampamento da igreja!". Independentemente do que a igreja estiver oferecendo, ajude sua filha a ficar empolgada com as atividades propostas.

Comece a se preparar na noite anterior

Se já conversou sobre a igreja a semana toda, será fácil ocupar a noite à ida à igreja. Ajude sua filha a selecionar as roupas que ela usará no dia seguinte e separe a Bíblia que ela levará ao culto. Estabeleça um horário bem cedo para que sua filha vá para a cama, caso ela seja uma adolescente. Ao se preparar na noite anterior, a manhã seguinte não será estressante para ninguém. O coração e as atitudes estarão prontos para as bênçãos a serem recebidas na igreja.

Aproveite a igreja ao máximo

Deus deu a você e à sua filha um tremendo recurso. Um recurso espiritual, social, educacional e recreativo, e tudo isso embrulhado em um só pacote. Portanto, certifique-se de aproveitar a igreja ao máximo. A maioria das igrejas oferece tanto cultos quanto classes bíblicas para adultos, jovens e crianças. Faça um esforço para participar desses dois momentos de ensinamento. Se sua filha já tem idade suficiente, leve-a junto com você durante o culto. Depois, na hora seguinte, se houver um programa dedicado às crianças ou um grupo de jovens, envie seus familiares cada qual para sua respectiva classe, a fim de que eles recebam mais ensinamentos sobre a Bíblia e façam novas amizades. Todos terão uma injeção de ânimo celestial que pode ajudar a sustentá-los até a próxima visita à igreja.

Considere a possibilidade de participar de um estudo bíblico

Agora você já conhece a importância da igreja não só para sua filha, mas para você também! Como ovelha-guia e mulher fervorosa para sua família, mire o objetivo de participar do estudo bíblico para mulheres ou organize um grupo familiar ou da vizinhança. Seu crescimento espiritual surpreenderá você, e sua devoção ao Senhor se tornará mais fervorosa e mais iluminada à medida que você crescer em seu conhecimento sobre as verdades bíblicas. E você desfrutará de rica comunhão, fará grandes amigos e poderá servir a outras pessoas.

Revise as razões pelas quais as mães não levam as filhas à igreja

Será que algumas daquelas desculpas para não ir à igreja se aplicam à sua situação atual? Faça uma pausa, ore e reflita. Depois, seja uma mulher fervorosa. Pegue seu calendário e marque a palavra *igreja* a cada domingo e também nos dias em que há estudos ou atividades para você e sua filha. Pense nas "pequenas desculpas" que você vem usando. Por ora, não frequentar a igreja pode parecer algo sem consequência ou sem importância, mas pode ter um efeito duradouro em você e sua família. Portanto, faça uma pausa, ore e reflita. A seguir, continue esta leitura e veja como uma desculpa dada por uma mãe se transformou em "Gerações de desculpas".

GERAÇÕES DE DESCULPAS
Por Mary Louise Kitsen[2]

Querida Joan,

Ben e eu fomos abençoados com um lindo menino! Não tenho como descrever a alegria que ele trouxe à nossa vida. Você me perguntou como a senhora Miller está se saindo na igreja depois do acidente. As

110 EDUCANDO FILHAS SEGUNDO O CORAÇÃO DE DEUS

pessoas me dizem que ela consegue andar na cadeira de rodas com facilidade. Ainda continua dando aulas na Escola Dominical. Para falar a verdade, Ben e eu não fomos mais à igreja desde o nascimento do Timmy. Tudo fica muito difícil com um bebê pequeno em casa. E fico preocupada com a possibilidade de ele pegar alguma doença. Muitas pessoas estão com gripe no momento. Quando Timmy ficar um pouco maior, será muito fácil.

Beijos, Sarah

Querida Joan,
Acredita que Timmy já fez um ano? Ele é muito saudável e ativo — lindo! Não, ainda não voltamos a frequentar a igreja com regularidade. Timmy chorou muito quando tentei deixá-lo no berçário, então preferi carregá-lo comigo. No entanto, ele ficava muito barulhento e ativo na igreja quando estava conosco, assim acabávamos saindo mais cedo. O pastor veio nos visitar. Ele nos garantiu que Timmy ficaria bem se o deixássemos no berçário, mas eu ainda não estou preparada para obrigá-lo a ficar lá. Quando ele for um pouco maior, será muito mais fácil.

Beijos, Sarah

Querida Joan,
Como você consegue dar conta de três crianças cheias de vida? Timmy está aprontando muito! Mal consigo controlá-lo.
Ainda não estamos frequentando a igreja regularmente. Tentei deixar o Timmy no berçário alguns domingos atrás, mas ele não se deu bem com as outras crianças. Na semana seguinte, levamos Timmy conosco para a igreja, mas ele ficou correndo por todo o salão de cultos. Quando eu dava por mim, ele já tinha escapado de nosso banco. Vários membros que estavam sentados perto de nós ficaram aborrecidos, mas, afinal, Timmy só tem 3 anos. Tudo será mais fácil quando ele ficar um pouco mais velho.

Beijos, Sarah

Querida Joan,

Devo ser horrorosa como mãe! Mas parece que Ben e eu não conseguimos fazer nosso garoto ficar quieto. Na semana passada, ele fugiu da mesa em que estávamos em um restaurante e fez uma garçonete derrubar uma bandeja inteira com pedidos. E, no domingo passado, ele escapou do nosso banco na igreja e, antes que eu percebesse, adivinhe onde ele estava? Bem em frente ao pastor! Quase desmaiei de vergonha.

O pastor acha que algumas horas na pré-escola fariam bem ao Timmy, mas ele só tem 4 anos. Tenho certeza de que ele se acalmará quando ficar um pouco mais velho.

Beijos, Sarah

Querida Joan,

É tão engraçado ver nosso menino indo para a escola todas as manhãs! Achei que o início da vida escolar seria uma provação, mas acho que a professora deve ter jeito com crianças. Ele parece muito feliz na escola.

Não, Joan, ainda não pus o Timmy na Escola Dominical. A irmã é ainda recém-nascida. E sabe como é difícil ir à igreja com um bebê. Quando Sally ficar maior, tudo será mais fácil.

Beijos, Sarah

Querida Joan,

Como o tempo voa! Tim já está na 5ª série, e a Sally já está no jardim da infância.

Infelizmente, não somos tão fiéis quanto deveríamos na frequência à Escola Dominical e à igreja. Por causa do trabalho do Ben e da escola das crianças, acabamos não tendo tempo para nos encontrar durante a semana. E, aos sábados, sempre tenho alguma tarefa para fazer fora de casa, como lavanderia, supermercado etc. Domingo é de fato o melhor dia para passarmos juntos, e gostamos de começar bem cedo. No domingo passado, fomos até o lago Manaware. É bem longe.

112   Educando filhas segundo o coração de Deus

Não seria possível esperar o culto acabar para fazer esse passeio. E esse período com as crianças é muito especial.

Beijos, Sarah

Querida Joan,

Os adolescentes já têm uma forma de pensar própria, toda deles! Não consigo fazer Timmy frequentar a Escola Dominical ou comparecer aos cultos da igreja. Ele não quer participar nem do grupo de jovens. Acha que as atividades são "chatas". Não está se saindo bem na escola também, não da forma como Ben e eu desejaríamos. Parece que ele não se dá bem com os professores e com os colegas. Eu gostaria de morar em outra cidade. Parece que falta alguma coisa aqui.

A Sally? Às vezes ela vai à Escola Dominical, mas você sabe como as crianças pequenas são. Ela acha que tudo que o irmão faz ou pensa é perfeito! Afinal, a adolescência é mesmo um período muito difícil. É um momento de ajuste. Quando o Tim ficar mais maduro, verá as coisas de forma distinta, e daí a irmã adorada o acompanhará.

Beijos, Sarah

Querida Joan,

Como eu gostaria que você e Tom tivessem vindo ao casamento! Foi muito bonito. Tim estava lindo, e a noiva era um esplendor. A igreja estava cheia, e tudo correu maravilhosamente bem.

Não, Tom e a noiva ainda não começaram a frequentar a igreja com regularidade. Afinal, são recém-casados. Gostam de ficar juntos. Tão jovens e tão apaixonados! Mas logo eles vão se acomodar, e a igreja fará parte da vida deles.

Beijos, Sarah

Querida Joan,

Ben e eu somos avós! Tim e sua Margie tiveram um lindo menino que você gostaria muito de conhecer. Estamos orgulhosos dele!

A igreja? Na verdade, Ben e eu não vamos com a frequência que gostaríamos. Ben foi promovido de novo e algumas vezes joga golfe com o chefe, aos domingos pela manhã. E Sally é uma adolescente agora e tem seus próprios interesses. Quando as coisas mudarem, iremos para a igreja com mais frequência.

Tim e Margie? Não conseguem ir à igreja no momento. Você sabe como tudo fica difícil com um recém-nascido em casa. Alertei a Margie para que o bebê não ficasse exposto à gripe que parece estar pegando em todo mundo. Quando o bebê for maior, tudo será mais fácil. Tenho certeza de que eles se tornarão ativos na igreja. Afinal, Tim foi criado em uma família cristã por pais cristãos... ele tem um bom exemplo a seguir...

Beijos, Sarah

O bloco de reflexões maternas

Antes de seguir para sua próxima missão de mãe, separe 1 ou 2 minutos para refletir sobre como você pode manter-se alinhada com Deus. Planeje alguns poucos passos que farão uma grande diferença em sua vida e na vida de sua filha:

1. Quais são algumas de minhas memórias da infância sobre ir à igreja? Hmmm, aqui estão algumas delas:

_____

_____

_____

_____

2. Sei que ser uma mulher fervorosa diz respeito à mãe que leva as crianças à igreja e considera isso muito importante. Alguns passos que darei hoje para que possamos ir à igreja esta semana:

3. Quando penso no que Jesus disse sobre o valor de levar as crianças — meus filhos! — a ele, em Marcos 10:13-16, como relaciono isso

- □ aos pais?
- □ aos discípulos?
- □ à mensagem de Jesus?

Por que mudanças de atitude e comportamento preciso passar?

4. Uau, essa lista de desculpas para não ir à igreja me atingiu em cheio! Devo admitir que algumas vezes minha desculpa favorita é esta:

"Senhor, ajude-me em minhas áreas fracas. Dê-me um coração que anseie por estar com seu povo e compartilhar essa experiência com minha filha. Ajude-me a ser fiel. Amém."

Capítulo 6

A PROMOTORA DE EVENTOS

Quem anda com os sábios será sábio...

— PROVÉRBIOS 13:20

Por mais de trinta anos, eu, Jim e nossas filhas moramos no município de Los Angeles. Acredito que a última estatística populacional para esse município é mais de 9 milhões de habitantes e não faço a menor ideia de quantos milhões moram nos municípios adjacentes, viajando todos os dias para trabalhar em Los Angeles. Nossa família parece gastar metade da vida em horas nas estradas. E já tivemos nossa época de viajar em alta velocidade, quase tocando no para-choque do carro da frente. Tínhamos uma vida muito espaçosa — escolas espaçosas, *shopping centers* espaçosos, igrejas espaçosas, restaurantes espaçosos. Pense em alguma coisa, e ela será *espaçosa* em Los Angeles!

No entanto, dez anos atrás, quando nosso ninho ficou vazio após o casamento de nossas filhas, Jim e eu mudamos para o que chamo de "nosso pequeno recanto na floresta", na península Olympic, Washington, um lugar de tirar o fôlego. Da megametrópole para uma pequena cidade. De uma casa espaçosa com muros de cimento em um condomínio para uma casa de vários níveis com vista panorâmica para quilômetros de floresta e o monte Rainier coberto de neve. De sermos apenas 2 entre os 8 milhões de residentes em Los Angeles para apenas 3 vizinhos nas propriedades espalhadas por um paraíso rural cheio de abetos, pinheiros e cedros. Devo admitir que, para nós, foi uma mudança maravilhosa. Encontramos a paz e a tranquilidade — condições perfeitas para dois escritores.

Um dos benefícios que não previmos na mudança foi a vida selvagem que existe aqui. Nunca estamos sozinhos. Cada dia apresenta um desfile de animais e um espetáculo aéreo de amigos revestidos de penas. Cada criatura tem uma história a contar e lições a ensinar — em especial para nós, mães.

Tenho certeza de que você já ouviu histórias fascinantes e viu vídeos emocionantes de ursas, leoas e águias com seus filhotes — bem, mães de *todas* as espécies — protegendo e treinando as crias. Elas são ardorosas. Defensoras. Vigilantes. Instrutoras. E minuciosas. Jim e eu testemunhamos as características desses animais a olhos nus. Embora não existam leões na área (pumas, sim, mas graças a Deus leões africanos, não!) vemos águias todos os dias e observamos alguns ursos à distância. Independentemente da espécie, as mães animais compartilham o mesmo objetivo em relação a seus filhotes — a sobrevivência.

LIÇÕES APRENDIDAS COM AS CRIATURAS DE DEUS

Bem, você faz parte do círculo de mães do reino animal! Seu objetivo — como o da mãe puma, da mãe águia e da mãe ursa — é assegurar a sobrevivência e bem-estar de sua filha.

Não sei quanto a você e à sua filha, mas quando pressinto a mínima ameaça às minhas filhas, minhas garras e presas ficam à mostra! Sempre quis que minhas meninas em idade pré-escolar ficassem seguras enquanto brincavam juntas no quintal ou com outras crianças, enquanto atravessavam a rua ou quando visitavam a casa de algum vizinho. Considerava minha responsabilidade conhecer cada um dos vizinhos e todas as crianças do quarteirão.

Eu também tornei minha casa um lugar em que todas as crianças pudessem brincar. Quando a turminha estava em casa, eu conseguia estabelecer as regras e monitorar o comportamento das crianças. E, se elas estivessem brincando no quintal, eu podia ouvir e ver o que estava acontecendo e chamar as meninas para entrar em casa sempre que achasse necessário. Eu sabia, em primeira mão, o que elas estavam fazendo e conhecia o caráter de nossos pequenos visitantes e o tipo de influência que eles podiam exercer sobre minhas joias preciosas.

Com o passar do tempo, fizemos amizade com toda a vizinhança, começamos a convidar as crianças da mesma idade de minhas filhas para ir conosco à igreja e a participar das atividades para crianças. Em certas ocasiões, chegávamos a levar nove crianças para a igreja! Quando se tratava da vizinhança, nosso objetivo não era a separação em relação às outras crianças. Não, de forma alguma. Queríamos ser amigos dessas pessoas queridas e fazer o que Jesus disse — *ser sal e luz* (Mateus 5:13,14). Divertíamo-nos muito em nossas festas de aniversário, cafés da manhã de panquecas, saídas para andar de *skate* e aventuras na igreja. Nosso objetivo era ser um centro social heterogêneo que agradasse todas as crianças — e eu era a promotora de eventos na vida de nossas filhas.

Depois, Katherine e Courtney foram para a escola! Bem, obviamente eu não conseguia mais ficar com elas 24 horas por dia, 7 dias por semana. Mas eu as levava de carro para a escola e as buscava. Tentava chegar cedo, antes do sinal de encerramento, e passava algum tempo conhecendo o maior número possível de pais.

Então, como boa promotora de eventos, comecei a convidar as novas amigas de nossas filhas para uma reunião de diversão. Eu sempre combinava com as mães dessas amigas os horários de saída e era bem específica sobre onde exatamente as crianças estariam e o que fariam. Eu entregava às outras mães um cronograma preciso e deixava bem claro que estaria com as crianças o tempo todo. Era bom para minhas filhas passar tempo com outras meninas. (Você conhece bem a cena!) Nos primeiros anos, elas brincavam com bonecas e roupinhas de bonecas. Conforme cresceram, as atividades passaram a ser distintas. Mas isso acontecia em geral em nossa casa e por breves períodos — algumas horas de pura diversão com as amigas.

Você pode estar pensando: *Não acredito que essa mãe conferia as amizades antes de permitir que as filhas passassem algum tempo brincando com outras crianças.* Isso já aconteceu comigo. Em algum lugar deste planeta, havia outra mãe que era "a *epítome* da promotora de eventos". Ela sabia que sua filha e uma de minhas filhas haviam se tornado muito amigas, na igreja. Então, ela telefonou e convidou Katherine para ir à casa dela. Depois, disse que gostaria de pegar a Katherine em nossa casa, e perguntou se eu dispunha de uns 10 minutinhos para que ela pudesse conversar um pouco comigo.

Tivemos uma ótima conversa e, acredite em mim, eu sabia que estava sendo avaliada. Em geral, minha casa está sempre muito arrumada (e com duas crianças, você sabe que isso não significa 100% arrumada e limpa!). No entanto, fundamentada em como nossa casa estava naquele dia, essa mãe cuidadosa pôde ver com os próprios olhos que havia mais ordem que caos sob nosso teto. (Uau!) Não havia a menor possibilidade de a filha dela vir à minha casa no futuro antes de a mãe ver e saber exatamente onde ela estaria e como era o ambiente dessa família.

Bem, mais tarde, quando fui buscar Katherine na casa dessa amiga, fiz o que acabara de aprender com essa mãe extraordinária — avaliei sua residência também!

Meu objetivo não é ficar fazendo julgamentos sobre a vida das outras pessoas. Quero apenas ser amigável... e estar sempre de olhos abertos. Você deve ser cautelosa. Seja cuidadosa.

Será que o lugar que sua filha visitará é saudável para ela? As coisas parecem estar em ordem? E os relacionamentos dessa família parecem positivos e íntegros? Use seu "radar materno" e descubra o que é melhor para sua filha. Ela não precisa ser amiga de todas as meninas. E não precisa gastar tempo na casa de todas as garotas que encontra. Estamos falando sobre proteger sua filha. Você, mãe, é responsável pelo calendário social dela — e ocupará a função de promotora de eventos por cerca de vinte anos! Quanto mais jovem for sua filha, mais no comando você estará. Repetindo, ela deve ser amigável com todos, mas não precisa ser amiga de todos.

LIÇÕES APRENDIDAS COM MÃES MAIS EXPERIENTES

Sou grata às mulheres mais velhas e mães mais experientes que Deus me deu como guias quando eu precisava de ajuda. Elas me ensinaram várias regras fundamentais para educar uma filha. Compartilho com você duas dessas regras.

Não apresse as coisas

O objetivo é desfrutar totalmente de cada estágio de vida que sua doce garota atravessa. Assim você conseguirá extrair o máximo de cada passagem, poderá criar e fortalecer os laços entre vocês duas e a ajudará a desenvolver habilidades e comportamentos que contribuam para seu amadurecimento como mulher e como cristã.

A mensagem dessas mulheres sábias para mim era: Não se afobe em ver sua filha crescer ou atravessar os "terríveis anos da pré-escola" ou a "traumática adolescência" (períodos que são realmente difíceis!) ou qualquer outro estágio de desenvolvimento em que ela esteja. Não há nada de errado em manter sua filhota por perto, sob a sombra de suas asas. Ela não precisa participar de reuniões sociais quando ainda é pequena. Não precisa de namoricos sem importância. E, com o passar do tempo, ela não precisa dormir fora, na casa das amigas, com regularidade. Apenas permita que ela seja a doce garotinha da mamãe pelo tempo que ela quiser fazer isso.

Cada etapa pela qual sua filha passa é muito importante. Sabemos quanto uma criança de berço precisa da mãe e de ninguém mais! E as meninas de 6 anos amam tanto a mãe que apreciam passar o maior tempo possível com ela. As garotas de 10 anos anseiam por sair com a mãe — especialmente se isso incluir comprar roupas... ou alimentos!

> *A Bíblia é clara sobre o tipo de pessoas que devem fazer — e também não fazer — parte da vida de nossos filhos.*

Seja cuidadosa

Seja extremamente cuidadosa quando se tratar das pessoas que participam do mundo de sua filha. A Bíblia é clara sobre o tipo de pessoas que devem fazer — e também não fazer — parte da vida de nossos filhos. Deus quer proteger seus filhos — e os nossos também — dos danos, do mal, dos problemas e das consequências custosas. Para isso, ele nos deu sua Palavra, sua sabedoria, instrução e orientação. Portanto, você dispõe de uma boa lista do que pode e não pode fazer ao orientar sua filha. E Deus considera a ajuda materna como a mais importante na vida de sua menina.

Enquanto eu passava algum tempo com mentoras, concluí que minha tarefa era conhecer essas orientações e reconhecê-las como padrões de Deus. Eu precisava colocá-las em prática. E deveria fazer escolhas por minhas filhas enquanto elas fossem jovens e, ao mesmo tempo, deveria ensiná-las para que, conforme crescessem, pudessem seguir esses padrões por conta própria.

DIRETRIZES PARA AMIZADES

Você, como mãe, reflete sobre o que é certo e o que é errado? O que é vital e o que não é tão importante? Pensa nas pequenas escolhas que farão toda a diferença? Bem, quando se trata das amizades de sua filha, Deus lhe diz sem rodeios exatamente o que é essencial.

Os tipos inadequados de amizade para sua filha

Quando sua filha já tiver bastante idade para aprender a selecionar o tipo certo de amigas e amigos, separe algum tempo para conversar com ela sobre o critério que Deus apresenta em sua Palavra. À medida que vocês duas lerem os seguintes versículos, observe a fala, o caráter e a conduta das pessoas que, sem a menor sombra de dúvida, *não* devem ser amigas ou amigos de sua filha. Em suma, ajude-a a reconhecer que Deus nos orienta a termos cuidado com qualquer pessoa que seja...

- **Tola:** *Quem anda com os sábios será sábio, mas o companheiro dos tolos sofrerá aflição* (Provérbios 13:20).
- **Violenta:** *O homem violento alicia o próximo e o leva por um caminho que não é bom* (Provérbios 16:29).
- **Briguenta e raivosa:** *Não faças amizade com uma pessoa briguenta, nem andes com o homem que logo se enfurece* (Provérbios 22:24). Deus diz até mesmo por que isso é importante para sua filha: [...] *para que não aprendas seus costumes e te deixes cair em alguma armadilha* (Provérbios 22:25).
- **Fofoqueira:** *O homem que bajula seu próximo prepara-lhe uma rede para os pés* (Provérbios 29:5).
- **Maldosa:** *Não vos enganeis. As más companhias corrompem os bons costumes* (1Coríntios 15:33).
- **Imoral:** *Mas agora vos escrevo que não vos associeis com aquele que, dizendo-se irmão, for imoral ou ganancioso, idólatra ou*

122　Educando filhas segundo o coração de Deus

caluniador, bêbado ou ladrão. Com esse homem não deveis nem sequer comer (1Coríntios 5:11).

Os tipos de amizade recomendados na Bíblia

Agora apresento uma lista muito mais agradável para você compartilhar com sua filha. Deus se preocupa com ela e quer protegê-la daqueles que podem lhe causar danos ou influenciá-la a se desviar dele e caminhar na direção do mal. Por isso, o Senhor oferece estes textos das Escrituras para ajudar sua filha a encontrar o tipo certo de amigas e amigos. A pessoa deve ser...

- **Sábia:** *Quem anda com os sábios será sábio, mas o companheiro dos tolos sofrerá aflição* (Provérbios 13:20).
- **Fiel:** *O homem que tem muitos amigos pode ser arruinado por eles, mas há amigo mais chegado que um irmão* (Provérbios 18:24).
- **Honesta:** *As feridas provocadas por um amigo são boas, mas os beijos de um inimigo são traiçoeiros* (Provérbios 27:6).
- **Cristã:** *Não vos coloqueis em jugo desigual com os incrédulos; pois que sociedade tem a justiça com a injustiça? Que comunhão há entre luz e trevas? Que harmonia existe entre Cristo e Belial? Que parceria tem o crente com o incrédulo?* (2Coríntios 6:14,15).

QUEM SÃO AS PESSOAS QUE FAZEM PARTE DA VIDA DE SUA FILHA?

Você, como mãe, provavelmente terá de enfrentar algumas "batalhas" em torno das amizades de sua filha quando ela ficar mais velha. Contudo, é importante lembrar que Deus *escolheu* você para ser mãe. Confiou sua filha a *você*. Deu-lhe a tarefa de criá-la *na disciplina e instrução do Senhor* (Efésios 6:4), para orientar sua filha nos caminhos que ela deve seguir (cf.

Provérbios 22:6). E o Senhor espera que você desempenhe seu papel, mesmo quando isso significar que você não está sendo tão admirada por sua filha.

Todavia, aconteça o que acontecer, independentemente da resposta que você receber, será necessário continuar ensinando e instruindo sua filha de acordo com a Palavra de Deus. Além disso, a atitude ou conduta que você estiver procurando transmitir deverá refletir os padrões de *Deus*, e não apenas os que você preferir.

Meu ponto é o seguinte: independentemente da idade de sua filha, seja ela uma criança de berço ou uma princesa de 18 anos, *seja* você a mãe. Seja a mãe *dessa menina* e seja a mãe que segue a Jesus. Cuidado! Como a mãe águia, a mãe leoa e a mãe ursa, seja ardorosa e atenta. Esteja sempre ao lado de sua filha tanto quanto for possível e ao longo de todo o caminho. Instrua sua menina. Não a deixe sem ajuda. Tome conta de sua pequena. Proteja-a — não só fisicamente, mas de todas as maneiras, especialmente quando se trata das pessoas que fazem parte da vida dela.

As amizades exercem importante papel na vida de sua filha. Fazem parte do plano de Deus e são um meio importantíssimo de crescimento, encorajamento, entusiasmo, aprendizado e amor, além de oportunidades para testemunhar e evangelizar. E, definitivamente, as amizades cristãs são uma bênção para nós e também para nossas filhas. Lembre-se sempre: monitorar os contatos sociais e ensinar sua filha a escolher os tipos certos de amizade é parte importante de ser a promotora de eventos na vida dela.

Três tipos de pessoas

Uma pitada de sabedoria que você precisa compartilhar com sua filha, na idade adequada, é fazê-la saber que ela encontrará três tipos de pessoas no decorrer da vida:

124 EDUCANDO FILHAS SEGUNDO O CORAÇÃO DE DEUS

- Aquelas que a humilharão ou a enfraquecerão.
- Aquelas que a acompanharão ao longo do percurso.
- Aquelas que a exortarão e a encorajarão.

Ore para que Deus a proteja da primeira categoria de amizades e a leve para os dois últimos tipos de amizades.

Escolhendo os tipos certos de amizade

Amizade com pessoas cristãs — Fundamentada nas diretrizes de Deus para as amizades, encoraje sua filha a escolher pessoas cristãs como *melhores amigas e amigos*. Essas crianças, em geral, encontram-se na igreja. E, usualmente, são as que acompanharão sua filha ao longo do percurso ou até mesmo a exortarão e a encorajarão em sua jornada em direção à maturidade cristã. Conforme vimos no capítulo "A mulher fervorosa", um dos seus papéis fundamentais, como mãe segundo o coração de Deus, é levar sua filha à igreja. Pense nisso: na igreja, geralmente, as pessoas não usam palavras de baixo calão, nem vemos discussões, vozes alteradas ou brigas. Com frequência, as crianças ali provêm de famílias cristãs que vivem de acordo com os princípios cristãos. E a maioria das pessoas na igreja está ali porque conhece a Deus e quer conhecê-lo ainda mais e melhor.

Amizade com pessoas não cristãs — É importante proteger sua filha e ensiná-la a ser sábia quando se trata de arrumar amigas e amigos. No entanto, você não pode mantê-la totalmente isolada, sem contato com outras pessoas, especialmente se ela frequenta uma escola pública. Não a faça ter medo da vida e das pessoas que não são cristãs. Ao contrário, mostre a ela que é bom ser amigável com todos e fazer amizades na escola e na vizinhança. Afinal, não é verdade que Jesus era *amigo de* [...] *pecadores* (Lucas 7:34)?

Namorado — Para a maioria das mães, a época mais temida é aquela em que as filhas chegam à idade de namorar (qualquer que seja essa idade). Por quê? Por causa de tudo o que está associado ao namoro, especialmente no caso dos meninos! Quando você permitir que sua filha namore ou flerte, siga aqui alguns princípios: o rapaz com quem ela sair *tem de* ser cristão. A Palavra de Deus é 100% clara a esse respeito (2Coríntios 6:14). Essa é a regra número um do Senhor. Além dessa regra absoluta, o namorado deve ser alguém que você conheça; de preferência, que conheça bem. E é uma boa ideia limitar o namoro aos passeios em grupo e restringir cada encontro de namoro a duas horas aproximadamente. Você descobrirá como agir na questão dos namorados, mas essas primeiras diretrizes a ajudarão a começar na direção correta.

UMA DESCRIÇÃO CONCISA DE SUA TAREFA COMO PROMOTORA DE EVENTOS

Agora vamos resumir sua missão vital como promotora de eventos. É você, a mãe, quem deve determinar os padrões de vida para sua filha. Comunique-os a ela. E não abra mão deles. Os padrões protegerão sua filha para que ela não precise lidar com emoções prematuras e desnecessárias, com a pressão do grupo e com os tipos errados de amizade e namoro.

Você pode!

A seguir, reunimos algumas sugestões que podem contribuir para que você se torne a mãe que sonha ser. Cada uma delas ajudará você a melhorar sua vida... e a de sua filha também. Aqui vamos nós!

Saiba, em todos os momentos, onde sua filha está

A mãe promotora de eventos fiel é capaz de responder onde os filhos estão a qualquer hora do dia ou da noite. E isso porque

126 EDUCANDO FILHAS SEGUNDO O CORAÇÃO DE DEUS

ela sabe tudo, vê tudo e está em todos os lugares o tempo todo. Temos uma vizinha, Patrícia, cuja mãe é casada com um general do exército aposentado. Ela vem visitar a filha e gosta de brincar com a neta no quintal. Enquanto as duas estão no quintal, a avó fica ali de pé, com os braços cruzados, observando a pequena como um falcão! É como se tivesse olhos na nuca. Ela é como a mulher de Provérbios 31, que *administra os bens de sua casa* — e também sua neta (v. 27). Acredite em mim: aprendi com o exemplo dessa mulher e o coloquei em prática. A vigilância amorosa nunca cessa. À medida que sua filha cresce, seu cuidado se torna ainda mais importante.

Conheça as amizades de sua filha

A melhor maneira de conhecer as meninas com quem sua filha gosta de brincar é convidando-as para um lanche em sua casa. Enquanto elas estão ali, tente conhecer cada uma das crianças. Mas não transforme a reunião em um interrogatório policial. Apenas capte o caráter e a maturidade das amigas e dos amigos de sua filha. Observe as qualidades (ou os defeitos). Entre no mundo de sua filha e permita que as amigas delas entrem em seu mundo também. Permita que elas considerem uma bênção estar em sua casa.

Monitore as saídas de sua filha

Chegará o dia em que outra menina convidará sua filha para dormir na casa dela ou para ir ao *shopping center*. Essa garota pode convidar outras seis meninas para passar a noite com elas. Tudo o que posso dizer é repetir o que uma mulher mais velha me disse: "Não se apresse. Seja cuidadosa!" Esse é um grande passo. Considere que passar a noite na casa de uma amiga consumirá cerca de 18 horas, e isso é muito tempo para meninas pequenas ou grandes preencherem de forma edificante e positiva. Quem estará ali? Que adultos ou crianças mais velhas estarão ali? Quais são as atividades planejadas? Elas assistirão a filmes? Se esse for o caso, a que filmes elas assistirão? Ou, se sua filha estiver passando algum tempo na casa de uma amiga, a mãe da amiga estará em casa? Até mesmo uma festa para uma criança de 5 anos precisa ser avaliada de antemão. Esteja atenta a situações em que os pais não estarão presentes ou não supervisionarão de perto a reunião e evite-a.

Treine sua filha no comportamento social.

O treinamento de sua filha para se comportar socialmente exige seu tempo e atenção. Um de seus objetivos como promotora de eventos de sua filha é ensiná-la a viver de forma bem-sucedida e produtiva. Portanto, certifique-se de treiná-la na arte da hospitalidade. Envolva-a no preparo das refeições, na arrumação da mesa, na saudação e no serviço aos convidados. Ensine-a a ser apresentada e a se apresentar. Ela se sentirá mais confortável quando souber o que fazer em contextos sociais. Ensine sua filha a viver o cristianismo com força e dignidade. O caráter da mulher de Provérbios 31 deve ser o objetivo firmado para sua menina, seja ela pequena ou já seja crescida: *Força e dignidade são seus vestidos* [...]. *Abre sua boca com sabedoria, e o ensino da benevolência está na sua língua* (Provérbios 31:25,26).

Ensine sua filha a escolher os padrões de Deus

Sua filha sempre será sua menininha, esteja ela com 5 ou 55 anos de idade. Hoje você é responsável pela vida social de sua pequena. Todavia, um dia ela começará a fazer escolhas por si mesma. Isso é natural e normal. Comprometa-se a fazer seu trabalho e a estimular os padrões de Deus no coração e na mente de sua filha. Ore para que, quando tiver a oportunidade

128 EDUCANDO FILHAS SEGUNDO O CORAÇÃO DE DEUS

de fazer algumas ou todas as decisões sociais, ela saiba escolher suas amizades e atividades. E, se vier a se casar, saiba escolher seu marido.

O bloco de reflexões maternas

Antes de seguir para sua próxima missão de mãe, separe 1 ou 2 minutos para refletir sobre como você pode manter-se alinhada com Deus. Planeje alguns poucos passos que farão uma grande diferença em sua vida e na vida de sua filha:

1. "Senhor, hoje minha filha tem ___ anos de idade. Quero orar regularmente pelas amizades dela. Aqui estão os nomes de suas amigas. Ajude minha filha a ser uma bênção para elas, e ajude-as a ser uma bênção para minha filha."

   _____

   _____

   _____

2. Minha filha é um tesouro precioso. Preciso certificar-me de que sou uma promotora de eventos ativa e cuidadosa na vida de minha menina. A primeira coisa que farei para ser uma mãe mais observadora e cautelosa é...

   _____

   _____

   _____

3. Li os trechos das Escrituras que descrevem os tipos de amizade recomendáveis para minha filha — e os tipos que não são uma opção para ela. Preciso rever essas

passagens bíblicas com minha filha. Estes são os dias e horários em que planejo:

4. Será que estou ansiosa por ver minha filha crescer? Para se vestir e agir como se fosse mais velha? Será que estou apressando as coisas? "Examine meu coração, Senhor. Ajude-me a desfrutar desses primeiros anos de doçura, repletos de momentos da mãe com sua filha." Que tempo eu devo reservar para que nós duas tenhamos atividades tipicamente femininas?

5. Preciso fazer uma lista das lições importantes a serem ensinadas à minha filha sobre as situações sociais aqui na vizinhança e na escola, e também quando ela estiver com outras meninas. Para começar a lista, estas são três coisas a respeito das quais devo conversar com minha filha:

Capítulo 7

A PROFESSORA

Parte 1: O modelo

*[...] sejam reverentes no viver, não caluniadoras,
não dadas a muito vinho, mestras do bem.*

— TITO 2:3

Uau! Faz muito tempo que não olho no espelho do meu passado! Talvez isso se deva ao meu desejo de esquecer as coisas que ficaram para trás, procurar estender a mão para alcançar as coisas do presente e pressionar em direção ao objetivo futuro para ganhar o prêmio do sublime chamado de Deus em Cristo Jesus (v. Filipenses 3:13,14). Mas hoje, à medida que inicio este capítulo sobre que exemplo uma mãe segundo o coração de Deus deve dar à filha, faço uma retrospectiva dos anos em que eu era menina.

Acredite em mim: o desfile de atividades que passam por minha memória é bem sortido. Tudo parece muito atual. Tive aulas de piano e violino. Todos os verões, aulas de tênis e natação se somavam ao meu cronograma. Fiz aulas de balé e sapateado e, quando mais velha, também aprendi dança de salão — e muito mais!

Conforme examino essa lista, revivo minhas experiências em cada uma dessas atividades. Lembro-me dos professores e líderes, do lugar em que eu me sentava na sala de aula ou estúdio, das colegas que estudavam comigo. Sou grata por essa rápida recordação do passado e das oportunidades que meus pais me deram, apesar do grande sacrifício financeiro que isso representou para eles. Reconheço de que maneira cada busca contribuiu para fortalecer meu desenvolvimento até eu me tornar uma mulher. Hoje, amo música e toco piano bem, o bastante para ajudar nas aulas da Escola Dominical. Conheço um pouco de muitas coisas. Conforme um dos meus irmãos salientou, pouco tempo atrás, tenho algo que ele denominou "equilíbrio" em situações da vida. (Jamais pensei nisso antes, mas foi bom ouvir essa descrição vindo de alguém falando com sinceridade.)

Sei que você gostaria de dar à sua querida filha oportunidades para vivenciar uma série de experiências educacionais. E espera que algumas de suas tentativas frutifiquem, a ponto de ela até se tornar especialista em alguma dessas áreas. Por exemplo, uma de minhas netas começou a ter aulas de violino e agora toca na Sinfônica Jovem do Havaí. Ela permaneceu nas aulas e descobriu sua vocação. Portanto, se você puder, refine a educação de sua filha. No entanto, não faça isso à custa do exemplo do que ela precisa saber sobre ser uma menina, uma jovem e uma mulher que segue a Deus de todo o coração.

SEJA AQUILO QUE VOCÊ ENSINA

Como você já sabe, uma mãe desempenha alguns papéis vitais na vida de sua filha. *Você,* pelo desígnio de Deus, é a ovelha-guia, a guerreira de oração e a semeadora, além de ser também a treinadora e técnica, a mulher fervorosa e a promotora de eventos. E agora, está aqui outra função que, de maneira nenhuma, você pode negligenciar: a de modelo das boas coisas para sua filha. Essa missão vem de Tito 2:3-5. Ali, Deus registra dez objetivos de vida para todas as mulheres cristãs.

Esses três versículos instrutivos partem da premissa de que a igreja, o corpo de Cristo, é formada por mulheres mais velhas e mulheres novas, mais jovens. "Mais velhas" quer dizer

132   Educando filhas segundo o coração de Deus

mais velhas quanto à idade, mas também pode significar mais velhas e mais sábias na maturidade espiritual. E "novas" refere-se àquelas que são mais jovens quanto à idade e quanto à maturidade espiritual.

Em seu relacionamento com sua filha, *você* é a mulher mais velha que mora com ela, a dádiva pessoal de Deus para sua pequena. E devo acrescentar: você é a principal professora — e para toda a vida — das coisas boas. Você mora com sua filha. Você a ama mais que qualquer outra mulher em todo o mundo. Cuida, de forma intensa e apaixonada, do bem-estar, do crescimento e do progresso de sua menina em todas as áreas da vida. Você não é só a mãe de sua pequena; é também seu modelo.

Se você estiver imaginando que informações Deus considera essenciais para transmitir à sua filha, este capítulo a ajudará a identificá-las. Antes de entrarmos em detalhes, leia Tito 2:3-5. Essa passagem enumera os dez pontos essenciais. E certifique-se de observar onde o foco *não* está.

> [...] *as mulheres mais velhas, de igual modo, sejam reverentes no viver, não caluniadoras, não dadas a muito vinho, mestras do bem, para que ensinem as mulheres novas a amarem o marido e os filhos, a serem equilibradas, puras, eficientes no cuidado do lar, bondosas, submissas ao marido, para que não se fale mal da palavra de Deus.*

Quando li essa lista do que *Deus* diz que é importante em minha vida como mulher cristã, meu primeiro pensamento foi: *Todas as aulas que tive quando criança podem ter contribuído para meu "equilíbrio", mas elas têm pouco ou nada que ver com meu caráter.* (E que tal você também fazer um exame de seu passado?)

Você está percebendo o desafio proposto por Deus? Para que você possa ensinar à sua filha as qualidades do caráter, é preciso que primeiro você mesma as possua. Provavelmente, já ouviu o ditado: "Não se pode dar aquilo que não se tem". Portanto, abra seu coração e ore para você ser aquilo que você ensina. Peça a Deus pelo compromisso, o tempo e a paixão para passar essas qualidades segundo o coração de Deus para sua filha.

Examinemos agora o versículo 3. Nele encontramos a primeira das quatro características que você e eu, como mães, devemos viver em nosso cotidiano.

A MÃE COMO MODELO
Lição número 1 — Seja um modelo de comportamento excelente

Uma mulher e mãe segundo o coração de Deus deve ter o comportamento "reverente". *Dignidade* é uma boa palavra para explicar o que é "reverente". Outras boas palavras são *honráveis* e *dignas de honra*. A melhor descrição é *semelhante a Cristo*. E muitas pessoas se referem automaticamente a essa qualidade como *piedade*. Em suma, tudo o que é apropriado para uma mulher com dignidade é adequado para uma mulher que se rendeu totalmente a Jesus e vive sinceramente para ele.

*Ensinamos mais por nossas ações
do que por nossas palavras.*

Deus, portanto, dá às mães uma tarefa: buscar essa dignidade e praticar esse comportamento piedoso. Ao fazer isso, nós nos tornamos um modelo natural de piedade para nossas filhas. Seu exemplo é um guia que sua filha pode seguir. Essa qualidade de caráter envolve tratar todas as pessoas com respeito e cortesia. Portanto, mãe, quando você trata as pessoas com dignidade, está imitando a forma com que Jesus amou e tratou as pessoas. Isso mostra para sua filha que o respeito, as boas maneiras e a etiqueta ainda estão na moda.

O que você pode fazer? Tirar a temperatura espiritual de seu coração. Quando Jesus, com *olhos* [...] *como uma chama de fogo* (Apocalipse 1:14), avaliou a condição espiritual das pessoas da igreja de Laodiceia, ele declarou: *Conheço tuas obras, sei que não és frio nem quente. Antes fosses frio ou quente! Assim, porque tu és morno, e não és quente nem frio, estou a ponto de vomitar-te da minha boca* (Apocalipse 3:15,16).

Jesus rotulou o coração dessas pessoas de "morno". Isso quer dizer que elas já tinham sido quentes um dia, mas, em algum momento ao longo do caminho, o coração delas começou a esfriar em relação às coisas de Deus. É como diz o ditado: "Os carvões mais quentes são os que estão mais próximos do fogo". Se quiser que sua filha tenha um "coração quente" por Jesus, então *você* precisa se aproximar da chama de Jesus com todo o seu coração. Se quiser que sua filha seja piedosa e semelhante a Cristo, então mostre a ela o caminho. Tenha você mesma um coração quente. Seja fervorosa em relação a Jesus.

Lição número 2 — Seja um modelo de conversa edificante

Menina — aqui vamos nós! Tito 2:3 afirma que as mulheres mais velhas não devem ser "caluniadoras" nem "maldizentes" (TB). Infelizmente, essa parece ser uma fraqueza feminina, já que esse detalhe é tratado repetidas vezes na Bíblia. É verdade que a-m-a-m-o-s falar! E, quanto mais falamos, mais chances temos de errar. E é exatamente isso o que a Bíblia afirma em Provérbios 10:19: *Nas muitas palavras não falta transgressão, mas o que controla seus lábios é sensato*. Ou: *Quando são muitas as palavras o pecado está presente, mas quem controla a língua é sensato* (NVI).

Mais uma vez, como você bem sabe, vemos que ensinamos mais por nossas ações do que por nossas palavras. Portanto, mãe, quando você deixa de participar de intrigas ou de difamação, seu silêncio fala mais alto que mil sermões que você faça à sua filha sobre não ser uma menina fofoqueira.

O primeiro passo para ser modelo de excelência na fala é a boca, e esse exemplo vem da mãe. Se sua filha nunca a ouve fazer intrigas nem diminuir os outros, ela será positivamente influenciada por sua doce fala. E, quando ela vir você testemunhar sua compaixão e sua admiração pelos outros, será influenciada de modo positivo por sua semelhança a Cristo. Lembre-se: Jesus amava todas as pessoas, quem quer que fossem. Ele amava a família, os doze discípulos, o pobre, o oprimido, o aflito. E amava os pecadores. Em vez de arrasar verbalmente com as pessoas, ele as curava, confortava-as e lhes abria as portas da vida eterna. Em vez de ser destrutivo por meio da intriga e difamação, Jesus *andou por toda parte, fazendo o bem* (Atos 10:38).

É assustador perceber que sua filha ouve quando você comenta sobre a vida dos outros ao telefone ou com seu marido, quando bate papo com outra mulher ou conversa com ela sobre alguma outra pessoa. Pessoalmente, tive de aprender a *não* fazer intrigas. Já escrevi extensamente sobre minha luta em vários de meus livros. Minha boca era veneno puro — veneno mortal. Minhas palavras matavam. É isso o que difamação e intriga querem dizer — depreciar e destruir a reputação de alguém; acabar com alguém aos olhos de outros; arruinar a honra dos outros e a estima que as pessoas dedicam a eles.

Se você achar que não faz diferença depreciar as pessoas, falar mal delas, comentar suas falhas e seus fracassos com os outros e julgá-las, adivinhe o que acontecerá: sua doce e inocente filha começará a fazer o mesmo. Mas Deus diz que você deve fazer o oposto — ser a mestra do bem para ela.

O que você pode fazer? Considerar a intriga o que, realmente, ela é: pecado. A Bíblia nos diz para não haver "falatórios"

136   Educando filhas segundo o coração de Deus

ou "difamações" (TB). Portanto, quando você escorregar, confesse seu pecado de imediato (1João 1:9). Depois, junto com sua filha, coloque em prática algumas táticas que apresentamos a seguir contra a intriga.

Pense o melhor a respeito dos outros. A intriga é algo que diz respeito ao coração. Isso significa que, quando você faz uma intriga, a feiura de seu coração é revelada. Em vez disso, aplique os princípios de Filipenses 4:8 e pense sobre as pessoas aquilo que é verdadeiro, nobre, justo, puro, amável, honroso, excelente e digno de louvor.

Afaste-se daqueles que fazem intrigas. Talvez você conheça mulheres e meninas que fazem intrigas o tempo todo e, sem a menor dificuldade, atraem os outros para sua teia de mesquinharias. Deleitam-se em reunir informações que ferem os outros, a fim de passá-las adiante. Seja forte e aprenda a afastar-se desse tipo de conversa.

Evite lugares em que geralmente acontecem intrigas. Para você, mãe, reuniões, almoços, caronas ou compras com outra mulher ou o simples ato de buscar sua filha na escola e trocar algumas palavras com outras mães podem ser um terreno propício para a intriga. E, para sua filha, as reuniões no saguão da escola ou durante a hora do intervalo, como também conversas longas por telefone, mensagens de texto enviadas pelo celular, festas ou as combinações para dormir na casa da amiga oferecem centenas de oportunidades para intrigas. Oriente sua filha a ficar alerta e preparada para enfrentar essas situações, e ore antes que ela depare com uma situação difícil.

Não diga nada. Talvez você já tenha escutado o seguinte ditado militar: "Lábios frouxos afundam navios". Aqueles que servem às forças armadas são com frequência avisados a não dizerem nada em público sobre sua tarefa. A razão para isso? Quanto mais falarem, maior será a chance de dizerem algo que não deveriam. O mesmo é verdade para você e sua filha. A forma mais segura de evitar a intriga é não dizer nada.

Lição número 3 — Seja um modelo de autodisciplina

As palavras de Tito 2:3 — não dadas a muito vinho — podem soar um tanto estranhas. No entanto, elas se referem a uma época e a uma cultura em que era mais seguro beber vinho que água. Era muito fácil alguém beber além do necessário. Assim, Deus apresentou esse alerta para que as mulheres fossem cuidadosas e não bebessem muito vinho. Elas deveriam evitar a dependência em relação ao vinho. Em outras palavras, precisavam exercer o domínio próprio.

Esse princípio da disciplina pessoal se expande para incluir qualquer bebida, bem como alimentos ou qualquer outra coisa que possa levar a pessoa a ficar dependente ou passar dos limites. Eu mesma já passei por tempos em que fui dependente do cafezinho. E outras mulheres que conheço precisam do refrigerante, chocolate ou batata *chips* de uma marca e um sabor específicos. Quando se trata daquilo que gostamos, é tremendamente fácil formarmos os maus hábitos.

E há muito mais! Segue uma combinação do que temperança e domínio próprio significam:

- Não se tornar dependente de bebidas alcoólicas (nem de qualquer outra coisa).
- Ser controlada nas ações e palavras;
- Ser calma nas emoções.
- Não ser dada a extremos nem a extravagâncias; e
- Comportar-se com seriedade.[1]

O que podemos fazer? *Primeiro, lembre-se de que o domínio próprio é fruto do Espírito* (v. Gálatas 5:23). Quando é controlada

138 Educando filhas segundo o coração de Deus

pelo Espírito de Deus, você tem disciplina pessoal. Tem o poder interior do Espírito Santo para ajudá-la a escolher o que pensar e o que não pensar, o que dizer e o que não dizer, o que fazer e o que não fazer. O Espírito de Deus guiará você a fazer todas as coisas; assim, *seja comendo, seja bebendo, seja fazendo qualquer outra coisa, fazei tudo para a glória de Deus* (1Coríntios 10:31).

> *Uma filha é duplamente abençoada quando tem o privilégio de testemunhar uma mãe que faz escolhas cheias do Espírito e que honra e glorifica a Deus com essas escolhas.*

Segundo, trabalhe seus pontos fracos. Qual é seu maior problema quando se trata da disciplina pessoal e do domínio próprio? E com que área você precisa lidar a seguir? Identifique-a e comece a trabalhar nela para que possa tornar-se um modelo para sua filha. Tendo o poder de Deus como recurso, a vitória está sempre disponível. E lembre-se de que sempre há espaço para o crescimento. Você lidará com uma área da disciplina após a outra até o dia em que encontrar o Senhor face a face.

Uma filha é muitíssimo afortunada quando tem uma mãe que se preocupa com a disciplina pessoal. Uma filha é duplamente abençoada quando tem o privilégio de testemunhar uma mãe que faz escolhas cheias do Espírito e que honra e glorifica a Deus com essas escolhas.

Lição número 4 — Seja um modelo de tudo o que é bom

Nós, mães — gostemos disso ou não —, ensinamos por meio de tudo o que dizemos e fazemos e de tudo o que não dizemos e não fazemos. Ensinar não é uma tarefa difícil. Difícil é *o que* estamos ensinando. É bom ou ruim? É útil ou prejudicial?

Deus responde a essas perguntas aqui em Tito 2:3. O Senhor nos instrui a nos certificarmos, duplamente, de que estamos ensinando o que é "bom" a nossas jovens filhas — a virtude, a correção e a nobreza — e nada além disso. Temos de compartilhar com elas a sabedoria e o conhecimento de Deus, bem como a fé inabalável no Senhor. O que transmitimos às nossas filhas deve ser útil, proveitoso e excelente. Deus quer que transmitamos a instrução piedosa à próxima geração... e à seguinte. Isso quer dizer que sua casa é a sala de aula natural para esse tipo de instrução acontecer.

O treinamento espiritual tem altíssima prioridade. Jamais perca de vista seu objetivo: educar uma filha segundo o coração de Deus. No que depender de você, faça sempre as devocionais familiares. E ajude sua filha a ter o próprio tempo para as devocionais pessoais. Procure comprar e adquirir recursos cristãos apropriados e úteis para a faixa etária de sua filha.

Se ela ainda for um bebê, segure-a no colo e diga: "Vamos passar um tempinho com Jesus!" E, para as crianças pequenas, obtenha uma Bíblia ilustrada e livros de atividade que permitam a vocês duas continuar passando um tempo com Jesus. Esteja ao lado de sua filha. Guie-a por meio de sua pequena Bíblia colorida e realize com ela alguma atividade simples usando a Bíblia. Faça esse tempo juntas ser divertido, muitíssimo divertido!

Quando sua filha aprender a ler, certifique-se de que ela tenha a própria Bíblia e livros sobre Jesus que sejam apropriados ao seu nível de leitura. Encoraje-a a fazer perguntas e a compartilhar as verdades que está aprendendo. Mais uma vez, o importante é você fazer parte da jornada espiritual de sua filha.

À medida que ela amadurece, ensine-a a passar um tempo sozinha com Deus. Depois, procure garantir que vocês se sentem juntas para tomar uma taça de sorvete, uma caneca de chocolate quente ou um copo de suco, enquanto ela lhe

140   Educando filhas segundo o coração de Deus

conta o que anda aprendendo. Outra forma de encorajar o crescimento de sua filha é preparar um diário muito bonito, no qual ela possa escrever sobre suas descobertas nas leituras diárias da Bíblia.

Ah, e não se esqueça de ensinar sua filha a orar! Essa é outra faceta das *mestras do bem* que você pode desempenhar para cumprir o chamado de Deus em Tito 2:3. Se sua filha ainda for um bebê, ensine-a a encostar a cabeça sobre as mãos unidas para agradecer a Deus, a cada refeição. À medida que sua menina crescer, procure fazer com que ela ouça você orar. E mostre-lhe como criar o próprio caderno ou diário de oração. As meninas amam escrever... e escrever mais um pouquinho... e continuar a escrever!

Temos também a igreja. Não se esqueça de envolvê-la no culto e nas oportunidades de ministério existentes. Pressuponho que você, como "mulher fervorosa", esteja levando sua filha à igreja. No entanto, mais do que isso, à medida que sua filha cresce, permita que ela frequente a igreja com você e a ajude enquanto você serve — quer você ajude na preparação ou arrumação dos ambientes, quer faça os lanches, quer seja a professora de algum curso. Permita que sua filha seja sua assistente pessoal. E, quando ela tiver a idade apropriada, permita que ela cuide das crianças menores no berçário ou ensine nas salas dedicadas aos pequenos em idade pré-escolar. Encoraje-a a se tornar uma das "mestras do bem".

SÓ PARA VOCÊ, MÃE

Esse é um bom momento de fazer uma pausa para pensar — e orar! — sobre Tito 2:3. Das dez facetas essenciais para uma mulher, uma mãe e uma filha segundo o coração de Deus nomeadas em Tito 2:3-5, as primeiras quatro se destinam a você, mãe. São quatro qualidades que precisam estar presentes em sua vida antes que você possa ensiná-las à sua filha e mostrar a ela como seguir a Deus de todo o coração.

Isso transforma cada um de nossos dias em um desafio, não é mesmo? Como se ser mãe já não fosse um tremendo desafio! Você *pode* trabalhar no comportamento similar a Cristo, à medida que cresce no conhecimento e na aplicação da Palavra de Deus. Você *pode* estabelecer limites para suas conversas e parar de falar sobre as pessoas de forma negativa. Você *pode* pedir ajuda a Deus para ter domínio próprio. E você *pode* passar algum tempo com sua filha compartilhando as boas-novas da Palavra de Deus — e *amará* fazer isso! Na verdade, você descobrirá que será ótimo ter um diário para registrar todos os momentos emocionantes que vocês duas desfrutarem juntas!

A PROFESSORA

Parte 2: A mentora

[...] para que ensinem as mulheres novas
a amarem o marido e os filhos, a serem equilibradas,
puras, eficientes no cuidado do lar, bondosas [...]
para que não se fale mal da palavra de Deus.

— TITO 2:4,5

mentora. Você já refletiu sobre a história por trás dessa prática? É fascinante. Separemos um minuto para observar esse aspecto enquanto continuamos a tratar sobre a mentoria materna — ou seja, sobre ensinar à sua filha as qualidades necessárias para levar uma vida que honre a Deus.

No oitavo século a.C., o poeta Homero escreveu sua obra-prima, *A odisseia*, sobre um homem chamado *Mentor*. Esse homem era amigo do guerreiro Ulisses. Quando Ulisses saiu para lutar na guerra de Troia, Mentor ficou responsável pela casa, pela família e pelos empregados de Ulisses. Isso significava que ele tinha a obrigação de ensinar, amparar e proteger Telêmaco, o filho de Ulisses. Mentor ficou responsável por ensinar Telêmaco até o retorno do pai, muitos anos depois.

À medida que retornamos ao que Tito 2:3-5 diz sobre ensinar nossas filhas, pense em Mentor. Ele cuidou fielmente de um menino que não era seu filho. Mas você, querida mãe, servirá de mentora para sua filha! Da mesma forma que Ulisses indicou Mentor como o responsável por educar seu filho, também Deus indicou você como responsável por educar sua filha.

No capítulo anterior, examinamos o que você deve transmitir à sua filha, ao ser modelo para ela. Agora, considere o chamado para ser mentora de sua filha.

A MÃE COMO MENTORA

Lição número 5 — Ame seu marido

Talvez sua filhinha ainda esteja aprendendo a andar, e aqui estamos falando sobre casamento... Ei! Não se desespere! Ouça uma coisa: guardei um artigo de jornal que ensinava sobre música. Dizia o seguinte: "O momento certo para que uma criança inicie uma carreira musical não fica muito distante da idade do sapatinho de lã e da mamadeira". Se os especialistas em música nos dizem para começar a ensinar música a nossos filhos em idade tão precoce, então por que você, mãe, não começa a ensiná-la desde cedo? Só que seu foco não será a música. Você começará a ensinar princípios bíblicos, em especial aqueles referentes ao amor! Deus é amor, e o Senhor quer que as mulheres também manifestem essa qualidade.

— A quem devemos amar além do Senhor?

Tito 2:4 começa dizendo que uma mulher casada deve amar seu marido. Esse amor é demonstrado pela disposição de ajudá-lo em suas responsabilidades divinas, seguir sua liderança e respeitá-lo como pessoa.[1] Conforme você demonstra amor e respeito por seu marido, sua filha verá em primeira mão que tipo de esposa deve ser (se o casamento for o desejo de Deus para a vida de sua pequena).

O essencial em oferecer ensino e mentoria à sua filha sobre como amar o futuro marido (mais uma vez, se o casamento for o desejo de Deus para a vida de sua pequena) é cuidar de seu coração e casamento. Cada dia que você acorda é um dia para

144   Educando filhas segundo o coração de Deus

auxiliar, apoiar, honrar e amar seu marido querido, o pai de sua filha. É vital que você demonstre esse tipo de amor, porque Deus lhe pede isso e espera essa atitude de sua parte. É o que faz uma esposa segundo o coração de Deus! E não se esqueça: sua filhinha está observando seu comportamento. Ela vê tudo. Ouve tudo. Registra e guarda no coração todas as suas atitudes.

Ser um modelo do amor da esposa pelo marido é importante, mas você também precisa mostrar à sua filha a que se assemelha um homem temente a Deus. Portanto, conforme disse o professor de música, comece já. Não espere até que as emoções obscureçam os julgamentos de sua filha. Comece a retratar para ela um quadro das qualidades que devem ser buscadas nos meninos. Um grande lugar para encontrar as diretrizes de um futuro e potencial relacionamento amoroso é o livro de Rute. Invista algum tempo falando sobre as qualidades de Boaz, o homem com quem Rute veio a se casar. Sua filha deve buscar um homem que seja...

- *Temente a Deus.* Ele precisa ter paixão por Jesus. Essa deve ser a principal qualidade na lista de sua filha. Boaz orou por Rute e pediu a Deus que a abençoasse (cf. Rute 2:12).
- *Diligente*. Ele precisa ser trabalhador. Boaz administrava com zelo sua propriedade e riqueza (cf. Rute 2:1).
- *Amigável*. Ele precisa ser o tipo de homem que sempre será um amigo. Boaz acolheu Rute calorosamente e disse-lhe que ela era bem-vinda em seu campo (cf. Rute 2:4,8).
- *Misericordioso*. Ele tem grande compaixão pelos outros. Boaz quis saber qual era a situação de Rute, uma viúva, e agiu visando ao melhor para essa mulher (cf. Rute 2:7).
- *Encorajador*. Ele incentiva o crescimento dela em questões espirituais, no desenvolvimento do caráter, bem como nos interesses educacionais e pessoais (Rute 2:12; 3:11).

- *Generoso*. Ele tem um coração doador. Rute precisava de alimento e trabalhou arduamente para isso. Boaz viu a atitude de Rute, apreciou-a e lhe proveu uma quantidade extra de alimentos (cf. Rute 2:15).
- *Gentil*. Ele tem um coração gentil. Boaz, obviamente, se preocupou com o bem-estar de Rute. Também cuidou da sogra de Rute, Noemi, que agradeceu a Deus pela gentileza de Boaz (cf. Rute 2:20).
- *Discreto*. Ele protege a reputação da mulher. Rute foi ver Boaz à noite, e ele honrou sua pureza (cf. Rute 3:14).
- *Fiel*. Ele cumpre sua palavra. Boaz não voltou atrás em sua promessa de casar com Rute (cf. Rute 4:1,10).[2]

Boaz parece ser um grande homem, não é mesmo? Ele é um modelo do tipo de homem que você deve buscar em oração para ser o futuro marido de sua menina. À medida que o tempo passa, ajude sua filha a ser paciente. Ajude-a a esperar pelo homem certo. Ele está em algum lugar! Até que os dois se encontrem, certifique-se de que sua menina esteja se preparando para ser a mulher certa. Um rapaz temente a Deus tem padrões elevados. A tarefa da mãe é oferecer mentoria para que a filha também tenha padrões elevados — aqueles que o Senhor estabeleceu para ela.

Lição número 6 — Ame seus filhos

Tito 2:4 prossegue dizendo que as mães devem [*amar*] *os filhos*. Cada capítulo deste livro procura ressaltar formas maravilhosas para você amar sua filha. E cada uma dessas formas é algo que você, como mãe amorosa, deve ensinar e praticar para ser um modelo de amor à sua filha.

Talvez você esteja segurando este livro nas mãos e pensando: *Não consigo absorver nem mais um detalhe. Já estou sobrecarregada!*

Bem, deixe-me encorajar você. Certamente, toda mãe tem seus dias ruins e cheios de desafios. Educar os filhos não é fácil. Toda mãe dirá "Amém!" a esta afirmação. Você precisa cuidar das fraldas, preparar os alimentos, curar as doenças... e dar conta das toneladas de roupa para lavar! Não é divertido nem agradável disciplinar. Cuidar de cada aspecto da vida de seus filhos consome toda a sua energia. É uma tarefa de 24 horas por dia, 7 dias por semana, de manhã à noite, e de noite à manhã... *sempre*! Mesmo quando seus filhos não estão fisicamente próximos de você, ocupam sua mente e suas emoções..

Mas tudo o que você faz em meio à agitação, ao caos e à aflição *representa* seu amor em ação. *Amar* significa não desistir. *Amar* significa não abandonar. *Amar* significa não desligar o coração. *Amar* é não ter um ataque histérico. Não, definitivamente, o amor prevalece. E é exatamente isso o que Tito 2:4 diz. Devemos amar nossos filhos em todas e quaisquer circunstâncias.

Sem sacrifício, não há ganho. E o ganho que você busca é a alegria de cumprir o mandamento divino para que você eduque sua filha segundo o coração de Deus. Seu tempo e sua energia não podem ser gastos em nada mais importante ou realizador que essa missão concedida por Deus. Entregar-se de corpo e alma à tarefa que lhe foi dada por Deus é uma busca que vale realmente a pena. Isso, minha amiga, é amor.

Portanto, continue comigo. Ore por sabedoria e força para fazer o que Deus pede que você faça e, depois, faça! Seja a mentora de sua filha! Ensine-a a ter as qualidades de caráter de uma pessoa temente a Deus — aquelas enumeradas em Tito 2:3-5. Isso é amor. Como posso explicar as razões de fazer isso? Porque o caráter piedoso e temente a Deus protegerá sua filha durante os anos turbulentos da adolescência. Esse caráter a sustentará quando ela deixar o abrigo de sua casa para aventurar-se pelo mundo, a fim de iniciar a própria família, a vida profissional ou quem sabe até mesmo uma missão em terras distantes.

Lição número 7 — Seja discreta

Discrição. Você não tem certeza do que isso significa? Que tal sensata, equilibrada, razoável, sábia e organizada? Que traço de caráter! Se quiser definir uma mulher que age de forma discreta, dirá que se trata de uma mulher que não perde... não perde a cabeça, não perde o equilíbrio, não perde a linha com as palavras, não perde o controle. Ela é uma imagem viva de sabedoria em suas escolhas e ações. É cuidadosa. É uma mulher cujas prioridades estão definidas e são colocadas em prática. Ela sabe o que é importante e dedica-se ao que é realmente essencial, em vez de se ocupar com assuntos de menor importância e triviais que, em geral, acabam por nos oprimir.

Gosto de pensar em uma mulher discreta como aquela que tem o foco no que é certo. Sabe quem ela é e o que deve fazer, e supõe-se que o faça.

E quem é ela? Uma mulher cristã. Esse lembrete constante guia seus valores, compromissos e conduta.

O que ela faz e que se supõe que faça? Um dos seus principais objetivos é educar uma filha segundo o coração de Deus.

Então, o que é necessário para ter seu foco no que é certo? É preciso mergulhar na Palavra de Deus. Essa escolha sintonizará seu coração com o coração de Deus. Fará você se lembrar da visão e da perspectiva do Senhor. Fará com que você encare seu dia cheio de lutas e obrigações através dos olhos do Senhor. Isso, por sua vez, levará você a planejar sua vida e a tomar decisões que lhe permitam colocar em prática o grande plano do Senhor para sua vida, em vez de perder-se em atividades insignificantes. Você verá a vida como

148　Educando filhas segundo o coração de Deus

o Senhor a vê. E responderá ao que quer que aconteça da mesma forma que ele responderia — com *amor, alegria, paz, paciência, benignidade, bondade, fidelidade, amabilidade e domínio próprio* (Gálatas 5:22,23).

Agora que você já sabe o que significa discrição e está tentando viver dessa forma, deve ser uma mentora para que sua filha desenvolva essa mesma qualidade de caráter. Você deve ensiná-la a ser discreta e sábia.

E como você ajuda sua filha a alcançar o objetivo de ser sábia? Veja o que aprendi ao ser mentora de duas filhas que, agora, por sua vez, são mentoras das próprias filhas: quatro meninas.

Primeiro, leve sua filha a conhecer a Palavra de Deus. A Bíblia reforçará o que você está ensinando — e ela perceberá que esses princípios provêm de Deus. Deixe-a experimentar a alegria do crescimento espiritual. Permita que *suas faculdades morais* sejam *exercitadas para distinguir entre o bem e o mal* (Hebreus 5:14). Depois, ensine-a a planejar seu dia. Ajude-a a aprender a estabelecer objetivos diários e administrar o tempo de modo que possa alcançá-los.

E, sem dúvida, mostre à sua filha como tomar decisões. Apresento, a seguir, uma breve lista de perguntas e versículos bíblicos a elas relacionados, que podem ser usados por sua filha para guiá-la na tomada de decisões:

- Está de acordo com as leis de meu país? (1Pedro 2:13-15)
- Será que meus pais aprovarão? (Efésios 6:1)
- Fará tropeçar outras pessoas? (1Coríntios 8:12,13)
- Beneficiará outras pessoas? (1Coríntios 6:12)
- Acabará por me levar a criar um hábito? (1Coríntios 6:12)
- Ajudará em meu crescimento? (1Coríntios 10:23)
- Será um bom testemunho? (1Pedro 2:12)
- Glorificará a Deus? (1Coríntios 10:31)

Lição número 8 — Seja pura

Isso soa um tanto fora de moda, não? Bem, considere outros termos que retratam a imagem que Deus tem em mente quando nos exorta a sermos *puras* (Tito 2:5). O que dizer de livre do pecado? Inocente? Casta?

Sempre que alguém menciona pureza, o que em geral vem à sua mente? Pureza sexual, certo? E é verdade que você deve discutir essa área essencial com sua filha. A pureza física é importante para Deus. Ele deixa isso claro em sua Palavra quando afirma que todas as mulheres cristãs — jovens e mais velhas, solteiras e casadas — devem ser puras em seu corpo.

A pureza, no entanto, vai além de recusar o sexo fora do casamento. Relaciona-se também à forma com que você e sua filha tratam o corpo. Isso inclui fazer as escolhas certas sobre fumar, ingerir bebidas alcoólicas e experimentar drogas. E inclui o que você vê e ouve. Como mentora, você deve ensinar sua filha a fazer o que você faz para tomar conta da sua pureza sexual. Esse é o ponto principal. Diga a ela como guardar os pensamentos, as práticas e o vocabulário para que ela permaneça pura de coração. Faça-a saber como é vital ser cautelosa com o que lê, vê e ouve — e cuidadosa com suas amigas e seus amigos mais próximos.

> *Você e sua filha têm de enfrentar a pressão*
> *do grupo de sua filha — as amigas, os amigos e os*
> *colegas de escola ou de alguma prática esportiva.*
> *E como essa é séria pressão! Mas a pressão de Deus*
> *e a vontade de agradá-lo são maiores.*

Como mãe e mentora, faça por sua filha o que faz por você mesma. Tome conta de sua filha, mostre a ela os aspectos que preocupam você e discuta com ela o que você considera

150 EDUCANDO FILHAS SEGUNDO O CORAÇÃO DE DEUS

linguagem, conduta e roupas inapropriadas — qualquer coisa que não esteja de acordo com o padrão de Deus referente à pureza e à castidade.

Considere algo que não deve ser novidade para você: você e sua filha têm de enfrentar a pressão do grupo de sua filha: as amigas, os amigos e os colegas de escola ou de alguma prática esportiva. E como é séria essa pressão! Mas a pressão de Deus e a vontade de agradá-lo são maiores. Chegará o dia (se ainda não chegou) em que você se verá confrontando sua filha, por ela se sentir seduzida a sucumbir aos padrões da escola ou de outras meninas. Contudo, como em todas as outras coisas, lembre-se de que *você* é a mãe. Deus escolheu *você* para ensinar à sua pequenina as coisas que a protegerão e a farão crescer até ser uma mulher segundo o coração de Deus.

— O que você pode fazer? Ame sua filha, ore fielmente por ela, ouça-a, converse com ela, desfrute da sua companhia e divirta-se com ela. E, com respeito à pureza, ajude-a a compreender que esse é o desejo de Deus para ela. Seja persistente. Você é responsável por aquilo a que ela assiste na televisão em sua casa. Você é responsável pelo guarda-roupa dela, por aquilo que ela tem no armário e nas gavetas. Você é responsável pelas pessoas com quem ela passa o tempo quando não está na escola. Portanto, faça sua parte, mãe. *Realmente*, faça sua parte! Seja mentora! E ore muitíssimo. Você tem Deus do seu lado. Peça que ele trabalhe no coração de sua filha.

Lição número 9 — Seja eficiente no cuidado do lar

Lar, doce lar! Todo mundo quer um e todo mundo precisa de um. E agora Deus diz às mães e filhas — a todas as mulheres — para fazer isso acontecer. Tito 2:5 afirma que devemos ser *eficientes no cuidado do lar* ou como dizem outras traduções: devemos estar *ocupadas em casa* (*NVI*), ser *boas donas de casa* (*ARA*), ser *cuidadosas da casa* (*TB*) e cuidar *bem da casa* (*A Mensagem*).

Prefiro essa última tradução — *cuidar bem da casa*, porque significa que amo minha casa. Digo ao Jim todos os dias: "Sabe o que torna um dia magnífico para mim? Fazer algo especial em nossa casa". *Amo* cuidar de nossa casa! Isso nem sempre foi verdade. Certo dia, após oito anos de casada, acordei e percebi que estávamos vivendo em um chiqueiro. Como cristã recém-convertida, deparei com essa qualidade quando li o capítulo 2 de Tito em minha Bíblia novinha. Bem, naquele dia, saí de casa e comprei vários livros sobre a maneira com que cuidavam da casa. Também comecei a me encontrar com outras mulheres da igreja para aprender sobre como elas cuidavam da casa. E tenho sido ricamente abençoada desde essa época, e não só porque essas mulheres estavam dispostas a me ajudar — a ser mentoras —, mas também porque agora sinto a alegria diária proveniente de cuidar de minha casa.

E fui mentora de minhas duas filhas para que fizessem o mesmo. Acredite em mim: elas me superaram como donas de casa, e fiquei muito entusiasmada com isso.

E adivinhe... Comecei a educá-las desde a mais tenra idade. Você também pode fazê-lo. Pode começar mostrando à sua filha pequena como guardar os brinquedos ou colocar o cobertor em algum lugar especial durante o dia. Vejo minha netinha arrumando os sapatos em fileiras belamente organizadas. As meninas também podem arrumar a cama "toda bonitinha". As crianças podem carregar pratos para o balcão da cozinha para ajudar a mãe. Sua pequena pode ficar de pé em um banco e colocar as roupas na máquina de lavar. À medida que o tempo passa, ela pode aprender a colocar os pratos na máquina de lavar pratos e retirá-los depois de limpos (ou até mesmo lavar e secar os pratos com as próprias mãos, sem a ajuda de uma

152   Educando filhas segundo o coração de Deus

máquina). Você pode mostrar a ela como passar o aspirador de pó, tirar o pó e esvaziar os cestos de lixo. E isso é apenas o começo dos ensinamentos sobre as formas de limpar a casa, preparar os alimentos, ser hospitaleira e saber entreter.

Portanto, tenha sua filha 2 ou 22 anos de idade, você precisa transmitir-lhe a ideia de que cuidar do espaço dela, mantendo-o limpo e organizado, não é apenas uma regra para viver com você em sua casa. É a regra de Deus. Vejamos duas regras simples sobre como fazer as coisas quando a mentoria envolver respeito ao lar, doce lar!

Ensine à sua filha os cuidados fundamentais com a casa
Há alguns poucos cuidados fundamentais com o quarto de sua filha ou a parte do quarto que lhe cabe, se ela o divide com alguma irmã. Isso inclui tirar o pó, passar o aspirador de pó, limpar, lavar as roupas e organizar. E, como acontece com qualquer outra habilidade, essas também são aprendidas pela repetição. Quanto mais sua filha as praticar, mais fáceis elas se tornarão — até que passarão a ser hábitos que ela carregará para o resto da vida.

Ensinei a minhas filhas esses cuidados básicos, e nós três juntas os repetimos diversas vezes até que nos tornamos capazes de fazê-los com rapidez. Daí, milagre dos milagres, quando as meninas se casaram, adivinhe o que aconteceu: a arrumação da casa não era mais problema; elas já haviam desenvolvido os cuidados fundamentais e as habilidades básicas para cuidar do próprio lar.

Ensine à sua filha os cuidados fundamentais na
preparação dos alimentos
A casa em que cresci tinha uma organização muito peculiar. Minha mãe era professora de inglês e sempre tinha muitas

lições e provas para corrigir e dar notas. Meu pai era um professor que formava outros professores, cujo trabalho começava quando o período escolar acabava. Ele cozinhava para nós, lavava roupa e fazia grande parte das tarefas necessárias para manter uma casa.

Daí apareceu Jim... seguido de um casamento... seguido da mudança para meu primeiro apartamento. E, finalmente, chegou o dia em que eu deveria preparar a refeição. Decidi que "cozinharia" feijão e pão de milho. O que poderia ser tão difícil nisso, não é mesmo? Eu gostaria que você pudesse ver o semblante de Jim quando deu a primeira garfada no feijão! Tudo o que posso dizer é isto: eu simplesmente não sabia que devia lavar o feijão para retirar todas as impurezas — a areia e lascas de pedras — antes de cozinhar...

Não preciso dizer que Jim perdeu peso antes que eu conseguisse reverter essa situação. Mas o que quero ressaltar aqui é: uma dona de casa prepara as refeições para a família. Ela cozinha. Então, conforme você já deve ter adivinhado, certifiquei-me de que minhas filhas aprendessem não apenas a cuidar da casa, mas também a cozinhar!

Lição número 10 — Seja bondosa
Bondade — essa é outra qualidade, mencionada em Tito 2:3-5, para que você seja uma mulher segundo o coração de Deus e possa educar uma filha segundo o coração de Deus.

A bondade está no topo da lista de Deus referente às qualidades de caráter. É mencionada duas vezes nesses versículos: as mulheres mais velhas devem ser *mestras do bem* (Tito 2:3), para que possam alcançar as mulheres jovens e ensiná-las a serem igualmente *bondosas* (Tito 2:5). O termo "bondosa" também poderia ser traduzido por "gentil". Como mães, nossa missão inclui ensinar nossas filhas a serem bondosas, agradáveis, gentis, atenciosas e solidárias com os outros. Se estiver buscando

154 EDUCANDO FILHAS SEGUNDO O CORAÇÃO DE DEUS

um exemplo na Bíblia, veja a mulher de Provérbios 31: *Ela lhe faz bem [para seu marido] todos os dias de sua vida, e não mal. [...] Abre sua boca com sabedoria, e o ensino da benevolência está na sua língua* (Provérbios 31:12,26).

À medida que você prossegue em sua tarefa de treinar sua filha para ser uma mulher bondosa, examine seu espelho. A lei da gentileza está em seu coração? É fácil conviver com você, ou as pessoas (incluindo seus familiares) têm de andar pisando em ovos quando estão com você? Bondade e gentileza, caríssima mãe, começam em você. Leia os seguintes passos para cultivar a gentileza e bondade e certifique-se de que façam parte de seu cotidiano. Depois, é claro, você poderá ajudar sua filha a acrescentar essas características à própria rotina.

- *Prepare seu coração para ser gentil.* Nada prepara mais o dia para a bondade e a gentileza que o tempo investido na Palavra de Deus.
- *Ore por gentileza.* À medida que você pede, busca e bate à porta de Deus em oração, certifique-se de pedir um coração que busca fazer o bem. Peça ao Senhor que lhe dê mais amor e compaixão pelos outros, começando pelos mais próximos, os de casa.
- *Planeje ser gentil.* Pegue sua agenda com as tarefas do dia e escreva: "Hoje, como posso demonstrar gentileza a cada um dos meus familiares?". O próprio ato de escrever essas ideias já a estimulará a buscar oportunidades de alcançar aqueles que vivem debaixo do mesmo teto, com você.
- *Afaste tudo o que não for gentil.* Infelizmente, nosso coração é *enganoso e incurável* (Jeremias 17:9). É tão fácil escorregar e voltar aos hábitos antigos! Deus, então, nos alerta a não voltarmos à nossa antiga vida, e diz que devemos nos livrar da *raiva, ódio, maldade, difamação, palavras indecentes do falar* (Colossenses 3:8).

- *Revista-se com um coração de gentileza em sua vida.* Agora, querida mãe, adorne-se com um novo guarda-roupa semelhante a Cristo! [...] *revesti-vos de um coração cheio de compaixão, bondade, humildade, mansidão e paciência* (Colossenses 3:12).

DESTAQUES PARA O CORAÇÃO

Espero que você não esteja se sentindo sobrecarregada. Coragem! Deus nos dá uma vida inteira para aprender e praticar o conteúdo de Tito 2:3-5. Esses versículos cobrem toda a vida e ministério de uma mulher. Oro para que você abrace sua missão como uma das mães escolhidas por Deus. Seu objetivo? Ser um modelo do tipo certo de comportamento, fala e disciplina pessoal e ser a mentora de sua filha naquilo que é bom: pureza, sabedoria, bondade e amor por seu lar e pelas pessoas ao seu redor. Essas qualidades relevantes formam o cerne de seu caráter, como mãe e filha.

Enquanto eu escrevia este livro, recebi o *e-mail* de uma mulher com filhos de 8 e 6 anos de idade e um bebê de 5 meses de vida. Após oito anos de experiência com a maternidade, ela percebeu que o mundo estava afetando os filhos, e decidiu arregaçar as mangas e agir! Não consigo repetir isso o bastante: nunca é tão cedo — ou tão tarde (essa mãe está apenas começando) — para começar a ser um modelo e ensinar as dez qualidades do caráter que Deus deseja para você, mãe de uma jovem mulher segundo o coração de Deus em formação.

Você pode!

A seguir, reunimos algumas sugestões que podem contribuir para que você se torne a mãe que sonha ser. Cada uma delas ajudará você a melhorar sua vida... e a de sua filha também. Aqui vamos nós!

Transforme em prioridade sua tarefa como mentora para sua filha

Quando algo é realmente importante, você não terá problemas em encontrar tempo para fazer isso. Assim, avalie quão importante é para você ajudar sua filha a se tornar uma mulher segundo o coração de Deus. Provavelmente, você deva preparar um cronograma. Comece a planejar um período diário em que você passará algum tempo com sua filha. Você é responsável por seu tempo, portanto torne realidade esse tempo com sua menina. Isso é uma prioridade. E lembre-se de que Deus é misericordioso. Ele não pede que você ensine cem ou cinquenta coisas para sua filha. Ele apresentou em Tito 2:3-5 apenas dez qualidades que mostrarão a ela o caminho para se tornar uma mulher segundo o coração de Deus. Você, com certeza, terá tempo para isso!

Ensine à sua filha as qualidades de uma mulher temente a Deus

Ensinamos muitas coisas às nossas filhas: como embrulhar um presente, como fazer trabalhos manuais, como pentear os cabelos, como dirigir... No entanto, como mentora em nome de Deus, transforme em altíssima prioridade o ensino das dez qualidades essenciais de Tito 2:3-5. Coloque no topo de sua lista: "coisas que preciso ensinar à minha filha". Certifique-se de não deixar nenhuma lacuna na educação de sua filha. Preencha o coração dela com as coisas "do bem" que você aprendeu em Tito 2:3-5. Essa é sua responsabilidade diante de Deus.

Conte com outras pessoas e outros recursos

Deus não espera que você saiba tudo o que sua filha deve aprender nem que seja sua única mentora. No entanto, ele espera que você faça a maior parte do ensino, tanto por meio de suas palavras quanto por meio de seu exemplo de vida.

Leia a Bíblia. Leia livros sobre a educação dos filhos. E leia livros sobre como desenvolver o caráter piedoso — livros que você pode compartilhar com sua filha. Encontre livros cristãos para meninas, pré-adolescentes e adolescentes que possam tocar o coração de sua filha. Converse com mães que já tenham educado filhas e com mães que têm enfrentado o desafio de educar meninas. Você não está só!

Viva de forma consistente

Sua casa é uma sala de aula com paredes de vidro. Isso é bom e ruim, porque sua filha observará você o tempo todo. Ela perceberá quando o conteúdo de sua oração não estiver de acordo com o que você pratica. Portanto, fique atenta, alerta, pé ante pé e, acima de tudo, de joelhos. Viva como esposa e mãe amorosa e, um dia, sua filha poderá acrescentar esses dois papéis à própria vida. Preste atenção em sua boca e seus hábitos. Há uma dona de casa em formação debaixo de seu teto. E seja um modelo de tudo o que é bom, sábio e puro. Essas qualidades acompanharão sua garota durante toda a vida.

Leia o livro de Provérbios

Salomão escreveu o livro de Provérbios para ensinar a sabedoria a seu filho e para orientá-lo a seguir as disciplinas necessárias ao longo da vida. Isso não soa como algo de que sua filha também pode beneficiar-se? Portanto, dê a ela a dádiva do livro de Provérbios. Como? Leia você mesma um capítulo de Provérbios por dia — um capítulo de Provérbios corresponde a um dia do mês. Quando o mês acabar, comece tudo de novo. Você também pode ler Provérbios em voz alta com a maior frequência possível. Essa sabedoria de ouro passará a fazer parte de sua vida e também da vida de sua filha e guiará vocês duas *no caminho em que deve[m] andar* (Provérbios 22:6).

O bloco de reflexões maternas

Antes de seguir para sua próxima missão de mãe, separe 1 ou 2 minutos para refletir sobre como você pode manter-se alinhada com Deus. Planeje alguns poucos passos que farão uma grande diferença em sua vida e na vida de sua filha:

1. Tenho, portanto, de ser modelo e mentora para minha filha. À medida que examino as partes 1 e 2 do capítulo 7 e analiso a lista das dez coisas "do bem", sinto-me um tanto sobrecarregada pela responsabilidade envolvida no chamado de Deus para que eu ensine à minha filha...

- ☐ o comportamento excelente e piedoso;
- ☐ a fala edificante e piedosa;
- ☐ a autodisciplina;
- ☐ as coisas boas e piedosas;
- ☐ o papel da esposa;
- ☐ o papel da mãe;
- ☐ a sabedoria e a discrição;
- ☐ a pureza em todas as áreas da vida;
- ☐ o cuidado da casa e da família;
- ☐ a bondade e a gentileza.

Primeiro, devo desenvolver todas essas coisas em minha vida. O ensino para minha filha começa comigo. À medida que examino essa lista, reconheço que preciso melhorar nas seguintes **áreas:**

_____

_____

E, agora, minha filha. Neste momento, ela tem ____ anos. Considerando sua idade, preciso estar mais focada ainda nestas três qualidades:

_____

_____

_____

2. Ser mentora de minha filha é uma tarefa que exige todo o meu tempo, embora eu sinta que já alcancei o limite. Preciso agir!

- Esta semana, farei uma lista dos livros que devo ler no futuro e que me ajudarão a levar minha filha a seguir Deus. Vou preparar agora mesmo a lista do que devo fazer.
- Esta semana, preciso organizar um cronograma que inclua períodos de tempo específicos para ensinar minha menina. Vou incluir isso agora mesmo na lista do que tenho de fazer.
- Neste momento, Deus Pai, faço uma oração ao Senhor. É uma expressão de meu desejo de assumir com maior seriedade a tarefa de ser modelo e mentora para minha filha. Escrevo isso de coração (registre sua oração aqui).

_____

_____

_____

_____

_____

_____

Capítulo 8

A EDIFICADORA

Toda mulher sábia edifica sua casa...

PROVÉRBIOS 14:1

Quando penso em minha infância e juventude, lembro-me de que parecia que meus pais tinham dois conjuntos de filhos. A princípio, eles tinham dois filhos. Depois de um intervalo de seis e sete anos, tiveram mais um filho, e depois eu nasci! Quando me casei com Jim, meu pai já era aposentado. Isso significava que não demoraria muito tempo até que precisássemos nos organizar para ajudar meus pais a tocarem a vida.

Bem, foi exatamente isso que se deu. Nessa época, coisas surpreendentes aconteceram. Quando chegou o momento, meus irmãos e eu — sem que nenhum de nós soubesse o que os outros estavam fazendo — convidamos nossos pais para morarem conosco. E meus pais recusaram, com doçura, cada um dos convites dos filhos. Eles sempre viveram em uma casa que eles construíram praticamente com as próprias mãos, e não suportavam a ideia de deixá-la (isso para não mencionar o fato de que teriam de se desfazer de muita coisa acumulada durante toda a vida!).

Por fim, meus pais escolheram viver em um local em que teriam assistência para administrar a rotina diária. Depois, quando meu pai foi acometido pelo câncer e se tornou um doente terminal, nenhum de seus filhos queria que ele ficasse sozinho nem um dia sequer. Nós quatro encontramos uma solução. Meus irmãos que tinham uma carreira ficavam com meu pai nos fins de semana. Contudo, os dias de semana representavam um problema. Então, Jim e eu concordamos em que eu poderia e deveria voar de Los Angeles para Oklahoma todas as semanas, ficando à beira da cama de meu pai de segunda-feira à quinta-feira. Nosso ninho estava vazio com a saída das meninas, e Jim sentia que essa era uma forma de cumprir a vontade de Deus para que nós dois honrássemos meu pai.

Mal podíamos imaginar que esse esforço conjunto de nossa parte duraria quase um ano, até a morte de meu pai.

Relato essa história porque ela é uma ilustração perfeita do que está envolvido na valorização da família. Há também um princípio importante que você, como dona de casa que está educando uma filha segundo o coração de Deus, desejará praticar para ser um modelo de sabedoria e amor.

A PRIMEIRA LEI COM PROMESSA

Sei a resposta para essa pergunta antes mesmo de fazê-la, mas perguntarei assim mesmo: Se você pudesse aconselhar sua filha de forma a garantir-lhe uma vida longa e feliz, você faria o que fosse necessário para que essa promessa se cumprisse na vida dela? É claro que faria, e eu também! Que mãe amorosa não desejaria isso para sua filha?

E, falando em promessas, estima-se que existam 30 mil promessas na Bíblia. É verdade que muitas dessas promessas são dirigidas a grupos ou pessoas específicos, como a nação de Israel. Há, no entanto, uma promessa especial de Deus que se destina a todas as pessoas em todos os tempos — uma promessa feita como parte dos Dez Mandamentos: *Honra teu pai e tua mãe, para que tenhas vida longa na terra que o SENHOR teu Deus te dá* (Êxodo 20:12). O apóstolo Paulo referiu-se a essa passagem como *o primeiro mandamento com promessa* (Efésios 6:2).

Agora, vejamos como você pode transmitir essa importante promessa de Deus para sua filha. E lembre-se: *Deus não pode*

162   EDUCANDO FILHAS SEGUNDO O CORAÇÃO DE DEUS

mentir (v. Tito 1:2). Ele cumprirá o que prometeu. Mas por onde começar? Comece desempenhando seu papel de *mulher sábia [que] edifica sua casa* — com propósito, diligência e com coração disposto (Provérbios 14:1).

O CUMPRIMENTO DA PROMESSA

Moisés foi o homem que escreveu o mandamento para honrarmos pai e mãe, bem como a radiante promessa de que teremos *vida longa na terra* que o Senhor nos dará (Êxodo 20:12). Não resta a menor dúvida de que Moisés foi uma das grandes figuras citadas na Bíblia. Deus lhe pediu que liderasse a nação com 2 milhões de pessoas, na saída do Egito, e que a guiasse até a terra prometida. E ele recebeu os Dez Mandamentos.

Poderíamos prosseguir explorando fatos interessantes sobre a posição, o poder e a liderança de Moisés. No entanto, vamos focar o modelo ideal que ele representa ao mostrar como devemos amar e honrar a família. Ele evidencia o tipo de amor e de relacionamento que devemos ter com nossos pais e destaca a importância de transmitir isso para a geração seguinte.

Demonstre respeito por sua família

A família estendida de Moisés incluía Jetro, o sogro. Moisés se casou com a filha de Jetro e se tornou pastor, passando a cuidar do rebanho do sogro. Depois de quarenta anos cuidando desse rebanho, Deus pediu que Moisés mudasse de profissão. Observe a humildade e o respeito que Moisés demonstrava por seu sogro: *Deixa-me voltar a meus irmãos, que estão no Egito, para ver se ainda vivem.*[1]

Com o exemplo de Moisés, aprendemos que devemos demonstrar cortesia a nossos pais e outros familiares. Moisés, mesmo depois de um chamado feito pelo próprio Deus e beirando os oitenta anos de idade, ainda se aproximava de Jetro com coração humilde e atitude respeitosa.

Como você pode ensinar sua filha esse tipo de respeito? Como aquela que "edifica a casa", você demonstra essa honra enquanto constrói relacionamentos positivos e amorosos em seu lar. Pratique isso diariamente em relação a seu marido, a seus pais e sogros. O orgulho é uma atitude terrível que declara aos outros: "Não preciso de você em minha vida". Definitivamente, você não quer que sua filha desenvolva esse tipo de atitude em relação à mãe, ao pai e aos irmãos. Talvez sua menina ainda não saiba (e sua tarefa é ensinar-lhe isso), mas a família — até mesmo o "pateta" de seu irmãozinho ou irmãzinha — sempre fará parte da vida dela. Muito tempo depois que os amigos inseparáveis tiverem sumido de sua vida, sua filha ainda poderá contar com a família.

Honre sua família

A passagem seguinte, em que encontramos Moisés e seu sogro, ocorre logo após o êxodo do povo de Deus do Egito. Com a bênção de Jetro, Moisés fizera o que Deus lhe pedira, deixando a esposa e os dois filhos aos cuidados do sogro. Chegou o dia em que Jetro levou a esposa e os dois filhos de Moisés para se encontrarem com ele. Observe como esse grande líder de uma nação com cerca de 2 milhões de pessoas saudou o contraparente: *Então Moisés saiu ao encontro de seu sogro, inclinou-se diante dele e o beijou* (Êxodo 18:7). É certo que algumas ações de Moisés espelham a cultura de sua época, mas seu exemplo é rapidamente validado pelo mandamento de Deus que afirma: *Honra teu pai e tua mãe, para que tenhas vida longa na terra que o* SENHOR *teu Deus te dá* (Êxodo 20:12).

A cortesia e a honra que você exibe em relação a seus pais calarão fundo como ensinamento à sua filha.

164   EDUCANDO FILHAS SEGUNDO O CORAÇÃO DE DEUS

De que forma você, mãe, demonstra honra a seus pais e sogros? Quando você está com eles, sua filha a vê honrando-os com palavras, atenção e admiração? Bem, é verdade que você não mora mais com seus pais, sob o mesmo teto. Você tem agora o próprio teto, a própria casa e a própria unidade familiar a edificar. E, é verdade, você já não precisa mais prestar contas a eles. No entanto, Deus ordena que você continue demonstrando amor e estima por seus pais. A cortesia e a honra que você exibe em relação a seus pais calarão fundo como ensinamento à sua filha.

Continue conectado à sua família

Depois de honrar Jetro, Moisés mostrou interesse no bem-estar do sogro: *Eles perguntaram um ao outro como estavam e entraram na tenda* (Êxodo 18:7). Em outras palavras, Moisés estava preocupado com seu sogro e transmitiu isso com suas palavras.

É triste dizer, mas muitas famílias hoje têm questões de relacionamento a serem resolvidas. Talvez um parente tenha ferido você ou algum de seus familiares, e agora vocês romperam seu relacionamento. Ouvi recentemente a história de uma filha e uma mãe que deixaram de se falar por mais de trinta anos. Não sei o que aconteceu, mas não pude deixar de pensar: *Isso é tão incomum! Pense nos netos que jamais conheceram essa avó, e nessa avó que jamais conheceu os netos.*

Caríssima mãe, não permita que se crie uma ruptura em sua família. *Você* é aquela que edifica sua família. Você não é capaz de mudar o coração de seus familiares, mas certamente pode mudar o seu. Peça a Deus que aqueça seu coração em relação a qualquer familiar que esteja estremecido, a fim de que você possa edificar esse relacionamento. Faça conforme o apóstolo Paulo aconselha: *Se possível, no que depender de vós, vivei em paz com todos os homens* (Romanos 12:18). E lembre-se: "todos" inclui toda a sua família e a família de seu marido.

Sei, por experiência própria, que a vida pode ser muito agitada para as mães que edificam a família. É fácil você se envolver de tal forma com suas responsabilidades, com seus interesses e até mesmo com a própria família, a ponto de se esquecer de seus pais e irmãos (a menos que eles vivam do outro lado da rua!). Você não tomou a decisão de parar de se comunicar. Isso apenas acabou acontecendo com o passar do tempo.

Talvez seja o momento ideal para fazer um *check-up* em seu coração. Com que frequência você se comunica com sua família? Qual seu nível de interesse por seus pais e sogros? Você telefona, escreve ou envia *e-mails* de forma regular querendo saber sobre a saúde, as atividades e os interesses deles? Não deixe de procurar ficar próxima deles.

Deus afirma que você precisa *honrar* seus pais e sogros. Essa é uma tarefa muito fácil! Você os honra toda vez que pensa neles, ora por eles e se comunica com eles. E toda essa honra deve envolver sua filha. Permita que sua filha ouça você falar positivamente sobre os avós, as tias e os tios. Permita que ela a veja escrevendo e telefonando para eles e também visitando-os. Leve-a com você. Quando fizer isso, ela terá não somente oportunidade de passar algum tempo com os avós, mas também usufruirá de um tempo extra no relacionamento mãe-filha! Ao escolher honrar seus pais, você está ensinando sua filha que a família é importante. E, algum dia, quando sua filha estiver sozinha, virando-se por conta própria, esperamos que você receba esse mesmo tratamento.

Seja amiga de seus familiares

As diferenças entre os familiares não devem impedir que você seja amiga de seus pais e irmãos. Apesar da distância

166   EDUCANDO FILHAS SEGUNDO O CORAÇÃO DE DEUS

geracional entre Moisés e Jetro, a Bíblia ainda assim os retrata como grandes amigos. À medida que Moisés narrou para seu sogro o êxodo e a derrota do exército do faraó, Jetro louvou a Deus pela milagrosa libertação de Israel. Esses dois homens passavam tempo um com o outro, tempo dedicado a se regozijarem juntos em Deus (v. Êxodo 18:8-12).

Quanto você está próxima de seus pais e de seus irmãos? Você os mantém atualizados com o que está acontecendo em sua vida e em sua família? Você encoraja sua filha a conversar com eles e contar-lhes o que está passando na vida dessa neta ou sobrinha? Como aquela que edifica a família, é você quem decide que seus filhos devem ter um relacionamento com a família, e quem faz isso acontecer. E prepare-se! Isso pode envolver tempo e dinheiro investidos em visitas e encontros. O que quer que seja necessário para isso, seja amiga de seus familiares.

A REGRA DE OURO COMEÇA EM CASA

Edificar não diz respeito à planta baixa, à pintura, ao papel de parede ou ao número de quartos em sua casa. Refere-se a supervisionar os relacionamentos que ocorrem sob seu teto. Como você descreveria a atmosfera em sua casa? Por exemplo, o que você ouve? Brigas? Berros? Discussões? Palavras raivosas? Murmuração? Reclamações? Comentários maldosos? Respostas malcriadas? Se alguns desses "sons" descrevem cenas em que você vive, há uma edificação muito séria a ser feita. Nenhum desses sons indica uma família e um lar cheios do Espírito Santo, no qual os padrões de Deus estão sendo praticados. De acordo com a Bíblia, cada uma dessas expressões emocionais é pecado.

A solução? Jesus nos instrui a vivermos de acordo com a regra de ouro. Ele a descreveu em dois versículos distintos: *Portanto, tudo o que quereis que os homens vos façam, fazei também a eles*

(Mateus 7:12). E também: *Como quereis que os outros vos façam, assim também fazei a eles* (Lucas 6:31). Em outras palavras, faça pelos outros o que você quer que eles façam por você. Trate os outros como você gostaria de ser tratada.

Viver a regra de ouro em casa começa com você, mãe. Acredito verdadeiramente que "quem você é em casa é quem você realmente é" e vivo de acordo com essa crença. É por essa razão que ser modelo é uma força extremamente poderosa na formação de sua filha, à medida que ela se transforma em uma mulher. Se sua filha vir você brava e irritada e ouvi-la gritar e berrar com ela e com os irmãos e, até mesmo, com o pai, estará aprendendo — e com *você!* — que esse comportamento é adequado. E a atitude oposta é tão poderosa quanto essa atitude negativa. Se sua filha experimentar, em primeira mão, seu amor e a assistir sendo amável, gentil e compassiva, se beber de sua fala doce e de suas sábias palavras... bem, a mensagem é captada! Portanto,...

Primeiro, viva a regra de ouro. Examine seu coração e suas ações. O que está saindo de sua boca? Será que as misericórdias de Deus ficam à mostra pela maneira com que você trata seus filhos e seu marido? E até mesmo no modo pelo qual cuida de seu animal de estimação?

Segundo, estabeleça algumas regras. Determine, em acordo com seu marido, que comportamentos são adequados em seu lar e quais não são. Para começar, chiliques, abuso verbal, insultos, xingamentos e contato físico doloroso são totalmente inapropriados. Você também precisará planejar de antemão quais serão as consequências quando essas regras forem descumpridas. O objetivo final é o amor na família.

Terceiro, coloque as regras em prática. Infelizmente, ser uma edificadora da família significa que você terá de colocar em prática as regras. Siga as regras que você estabelecer e vá até o fim com as consequências da desobediência. Seja firme. Assim, sua filha e os irmãos entenderão a mensagem.

Quarto, enfatize a importância da família. É difícil para uma criança ou um jovem entender que a família é mais importante que os amigos. Os amigos vêm e vão, mas a família é para sempre. Treine sua filha desde cedo a ser a melhor irmã: doce, cuidadosa, gentil e encorajadora.

COLHENDO AS BÊNÇÃOS

Deus promete bênçãos para as pessoas que se honram umas às outras. E sua família pode ser um dos mais gratificantes benefícios. É no lar que estão as pessoas mais importantes de sua vida, e elas também devem ser as pessoas mais importantes da vida de sua filha. É verdade que irmãs e irmãos podem ser chatos, barulhentos e intrometidos. E precisamos reconhecer que você e o pai de sua filha também não são perfeitos. No entanto, à medida que você trabalha como a edificadora do lar, sua filha, sem a menor sombra de dúvida, perceberá que você está tentando ser uma mãe segundo o coração de Deus, uma mãe apaixonadamente comprometida em educar a filha segundo o coração de Deus.

Você pode!

A seguir, reunimos algumas sugestões que podem contribuir para que você se torne a mãe que sonha ser. Cada uma delas ajudará você a melhorar sua vida... e a de sua filha também. Aqui vamos nós!

Ajude sua filha a aprender a orar pela família

A oração é a resposta para muitas questões, preocupações e momentos da vida que você atravessará com sua filha.

Portanto, ensine a ela essa mesma prática. E ensine-a a orar pela família. Sua filha não deixará de sentir que faz parte da família ao orar em favor de cada irmão e irmã, do pai e até mesmo da mãe. Imagine como a fé — e o amor — de sua filha serão fortalecidos à medida que ela investir tempo e coração em orar pela família.

Envolva sua filha com a família

A maioria das crianças infelizmente reclama da família, e sua filha pode assimilar essa postura e começar a fazer o mesmo. Ela decide que a família não passa de uma chateação e que a diversão se encontra em qualquer lugar onde a família não esteja. Ela começa a querer passar tempo fora de casa o máximo possível ou acaba ficando recolhida em seu quarto. Essa é a deixa para você entrar em ação! Você — a sentinela, a pastora, a administradora, a mãe e a edificadora — precisa garantir que sua filha continue conectada à família. A solução? Propor a ela projetos que beneficiem a família. Ela pode ajudar a colocar a mesa para todos. Pode assar um bolo para a família e servir pratos deliciosos para os irmãos. Pode pesquisar onde cada familiar gostaria de passar as férias. Faça-a saber o que está prestes a acontecer no cronograma de cada familiar. Refreie o egoísmo de sua filha, ao mostrar a ela como cuidar da família e especialmente como amar os familiares.

Envolva sua filha com os cuidados da família

O amor pelo próximo precisa ser praticado à medida que cuidamos dos outros e os servimos. E isso inclui os irmãos maiores e menores! De fato, inclui fazer as tarefas domésticas. Mas, lembre-se: ela é uma pequena mulher segundo o coração de Deus em treinamento. Você a está preparando para o futuro. Seja lá o que ela decidir fazer, sempre haverá um lugar para

170   Educando filhas segundo o coração de Deus

ser cuidado e pessoas para serem servidas. Deixar que sua filha seja um membro passivo da família na qual você, mãe, faz tudo pelos outros, acaba gerando uma filha egoísta — e incapaz de viver em sociedade. Por favor, não permita que isso aconteça. Mostre a ela como amar a família. Inclua-a em seus esforços para servir e amar os outros, começando debaixo do teto em que vive e com a própria família.

Envolva sua filha com a família estendida

E não se esqueça dos avós, das tias e tios e dos primos! Inclua sua filha sempre que estiver em contato com os dois lados da família estendida. Permita que ela faça um retrato ou um rabisco ou acrescente uma sentença a quaisquer notas ou *e-mails* que você escrever para seus familiares. Encoraje-a a enviar a fotografia dela na escola para um familiar distante. Você está prestes a sair para comprar um presente para algum parente? Deixe que ela vá com você e a ajude a escolher o presente e até mesmo embrulhá-lo. Você está planejando uma reunião familiar? Pergunte à sua filha o que ela acha que cada um gostaria de comer ou fazer nessa reunião. Talvez você possa até mesmo contar com a ajuda dela para realizar algumas pequenas tarefas durante a festa ou montar um álbum de fotografias! E veja uma sugestão de projeto bem divertido: passem tempo juntas pesquisando a linhagem familiar. Talvez ela até descubra ser descendente de alguma figura histórica importante!

Transforme sua casa em um lugar acolhedor

Como mãe, você precisa ensinar sua filha a fazer muita coisas, e isso exige que você insista em sua participação para que ela possa desenvolver um senso de "família". No entanto, você pode fazer isso transformando sua casa em um lugar onde sua filha goste de ficar (bem como as amigas e os amigos da pequena). À medida que você ensinar sua filha, ela perceberá seu amor e seu interesse sinceros. Gostará de ficar com você. E, por você ser aquele tipo de mãe superdisposta, ficará feliz em ter as amigas e amigos em sua casa! Não é isso o que você quer? Em vez de sua filha ir à casa dos amigos onde os pais podem não estar ou não demonstrar interesse pelo que os filhos fazem, certifique-se de que sua casa seja o lugar onde as pessoas se sentem confortáveis. Recepcione bem as amigas e os amigos de sua filha — sejam crianças, pré-adolescentes ou adolescentes. Escancare as portas de sua casa. Permita que as amigas e os amigos de sua filha venham até você... e alcancem seu coração. Permita que eles fiquem sob sua influência piedosa. Quem sabe as amigas de sua filha também possam se tornar mulheres segundo o coração de Deus?

O bloco de reflexões maternas

Antes de seguir para sua próxima missão de mãe, separe 1 ou 2 minutos para refletir sobre como você pode manter-se alinhada com Deus. Planeje alguns poucos passos que farão uma grande diferença em sua vida e na vida de sua filha:

1. Não posso me esquecer de que minha filha vê e ouve tudo o que acontece em casa. A maneira com que ela trata os familiares será ensinada — e aprendida — com meu exemplo:

   • Existe algum relacionamento familiar que precisa ser tratado?

- Devo ser uma filha mais atenciosa com meus pais?

- Como estou me saindo no relacionamento com a família de meu marido?

2. Tenho a responsabilidade de ensinar minha filha a amar os outros. Quando observo as atitudes de minha filha e a maneira com que ela trata os pais e irmãos, que comportamentos e hábitos precisam de minha imediata atenção...

- ... no modo com que ela age em relação à família?

- ... na forma de ela se referir à nossa família?

- Qual é meu plano para realizar essas mudanças? Para instruir melhor minha filha? Para apresentar minhas expectativas e colocá-las em prática?

3. Ah, é verdade — a regra de ouro! A maneira com que minha filha trata os nossos familiares é um reflexo preciso de como eu mesma me comporto. Será que...

- ... estou vivenciando a regra de ouro?

- • ... estabeleço regras e diretrizes claras para nossa família?

- • ... encorajo minha filha a amar e auxiliar os irmãos?

4. A Bíblia diz: *Toda mulher sábia edifica sua casa; a insensata, porém, com as mãos a derruba* (Provérbios 14:1). Em outras palavras, ou a mulher edifica o lar e a família de forma positiva, ou não passa de uma equipe de demolição composta por apenas uma pessoa! Como edificadora...

- • ... que hábitos e condutas destrutivos preciso eliminar?

_____

_____

- • ...que condutas e práticas construtivas preciso incluir em meu repertório diário?

_____

_____

5. Talvez precisemos de um lema familiar, de um credo familiar. Talvez eu pudesse criar um com minha filha e família: *Amai-vos de coração uns aos outros com amor fraternal, preferindo-vos em honra uns aos outros* (Romanos 12:10). E talvez minha filha e eu possamos fazer um cartaz ou uma placa para fixar na porta da geladeira.

_____

_____

_____

_____

_____

Capítulo 9

A ANIMADORA

Por isso, aconselhai-vos e edificai-vos mutuamente...
— 1 TESSALONICENSES 5:11

Cresci em Oklahoma, Estado norte-americano famoso pelo petróleo. Na realidade, ainda existe ali uma plataforma petrolífera que, até hoje, bombeia petróleo cru. Oklahoma também é conhecido como o lar de muitos descendentes das cinco nações de norte-americanos nativos: os cheroquis, os *chicksaws*, os *choctaws*, os *creeks* e os *seminoles*.

E também temos o futebol americano... com F maiúsculo. No outono, a cidade em que nasci, bem como outras cidades em Oklahoma, celebram as sextas-feiras quase como se fossem um feriado — talvez ainda mais que os próprios feriados! E isso por causa dos jogos de futebol americano que acontecem nas noites de sexta-feira. Eu não era uma animadora de torcida, mas a maioria de minhas amigas e eu ficávamos no "gargarejo", animando a partida. Quando nosso time estava vencendo, as multidões não precisavam de muito para explodirem de alegria. No entanto, quando o time estava perdendo ou o jogo estava difícil, as animadoras de torcida e nós fazíamos tudo o que estivesse ao nosso alcance para encorajar tanto o time quanto a multidão.

TODOS NÓS PRECISAMOS DE ANIMADORAS DE TORCIDA
Por que, quando pensamos em animadoras de torcida, só lembramos de times de futebol? Todos nós precisamos de

animadoras para encorajar-nos o tempo todo, especialmente quando as coisas não andam bem. É um fato da vida que você e eu — e nossas filhas ainda no período de formação! — ansiamos por encorajamento por parte de outras pessoas, e os outros anseiam recebê-lo de nós.

Até mesmo o grande apóstolo Paulo precisou de encorajamento. Quando esteve em prisão domiciliar em Roma, preocupava-se com seus queridos amigos de Filipos. E por isso decidiu enviar seu companheiro de viagem, Timóteo, para reunir informações sobre eles e ter seu coração e sua mente confortados e encorajados. Ele escreveu aos amigos: *Espero no Senhor Jesus em breve vos enviar Timóteo, para que eu também me anime, recebendo notícias vossas* (Filipenses 2:19).

Tenho certeza de que você já teve suas crises de desencorajamento e experiências similares à descrição a seguir: você acorda, o dia está ensolarado e repleto de esperanças, de coisas boas e promessas, de realizações e façanhas. E talvez as coisas corram bem por alguns minutos. Sua surpresa, contudo, chega cedo quando você percebe que o caminhão de lixo já está passando e ninguém pôs o lixo para fora na noite anterior! Não bastasse isso, essa surpresa logo é seguida por outra — talvez uma palavra mal-humorada de seu marido a pegue desprevenida. Ou uma criança não se comporta direito e você sabe que terá de fazer algo sobre isso. Ou (uma história verdadeira!) *antes* de você tomar sua primeira xícara, a cafeteira explode!

E existem tribulações contínuas que podem nos derrubar. Uma criança com alguma deficiência. O pai ou a mãe cuja saúde está frágil. O marido que está em casa porque foi despedido do emprego. Talvez um adolescente rebelde que simplesmente não ouve você nem lhe dá a mínima importância. Tenho certeza de que você pode acrescentar a essa lista algumas situações reais nas quais você precisa de bastante encorajamento.

176 EDUCANDO FILHAS SEGUNDO O CORAÇÃO DE DEUS

JESUS NOS MOSTRA O MINISTÉRIO
DE ENCORAJAMENTO

Conforme 1Tessalonicenses 5:11, o que significa *edificai-vos reciprocamente (ARA)*? Fiz essa pergunta e busquei a resposta nos livros. Foi assim que aprendi que uma pessoa encorajadora é aquela que caminha junto com a outra. É o mesmo conceito e termo que Jesus usou para descrever o ministério do Espírito Santo. Quando ele anunciou que partiria para retornar ao céu, os discípulos ficaram tristes, desanimados e temerosos (João 13:33—14:4). Jesus sabia disso e os encorajou. Animou-os! Explicou que enviaria um "Consolador"— a terceira pessoa da Trindade —, que ocuparia seu lugar e continuaria com o ministério de encorajamento e exortação que ele próprio tinha com os discípulos. Jesus estava falando sobre o Espírito Santo (João 14:16),... que ele enviaria para nos encorajar.

Alguns momentos mais tarde, Jesus entregou aos discípulos — e a nós também — algumas palavras finais antes da crucificação. Continue lendo!

JESUS NOS DÁ ENCORAJAMENTO

Os momentos de desapontamento, desencorajamento e desespero fazem parte da vida — a vida real de todos os dias. Eu poderia elencar inúmeros exemplos de minha vida, da vida de mulheres que conheço e da vida de mulheres, mães, esposas e meninas que escrevem para mim, a fim de abrir o coração, além de vários contatos feitos em conferências. Quando encontro uma dessas mulheres de coração partido e alquebradas pelo fardo da vida, frequentemente compartilho um dos meus versículos favoritos. Nele encontramos o encorajamento que Jesus deu a seus discípulos na última noite que eles passaram juntos, a noite em que ele foi traído:

Eu vos tenho dito essas coisas, para que tenhais paz em mim. No mundo tereis tribulações; mas não vos desanimeis! Eu venci o mundo (João 16:33).

Jesus sabia que você, eu e nossas filhas — exatamente como aconteceu com os discípulos — seríamos tentadas a desistir quando a vida se tornasse extremamente difícil. Ele conhecia os fatos da vida e ofereceu encorajamento, instruções e esperança. Nesse sentido, Jesus adotou três posturas, que veremos a seguir.

Jesus disse a verdade

A vida será difícil. *No mundo* **tereis** *tribulações* (grifo da autora). Jesus afirmou isso de forma enfática e factual. Falou a verdade sem tirar nem pôr — a verdade sobre as tribulações e os sofrimentos.

Jesus proveu a resposta para as tribulações da vida

Mas Jesus ainda não tinha acabado. Na sequência das notícias ruins, ele nos deu boas-novas para que nos apegássemos a elas, começando com esta pequenina palavra maravilhosamente cheia de esperança — *mas*. Ele prometeu isso pessoalmente: *Mas não vos desanimeis! Eu venci o mundo* (grifo da autora). Qual é a resposta para as tribulações da vida? É Jesus! Não importa o que você estiver enfrentando — Jesus é sua fonte de encorajamento sempre disponível, sempre presente, sempre sábia, sempre amorosa, sempre poderosa. E Jesus prefaciou seu encorajamento com esta afirmação: *Eu vos tenho dito essas coisas para que tenhais paz em mim*. O Príncipe da Paz nos dá sua paz.

Jesus nos mostrou como encorajar os outros

Algumas vezes é bom não dizer nada quando alguém está sofrendo. Mas, por fim, precisamos encontrar as palavras certas

178 EDUCANDO FILHAS SEGUNDO O CORAÇÃO DE DEUS

para incentivar essa pessoa. Foi isso que Jesus fez. Ele declarou: *Eu vos tenho dito essas coisas*. Jesus pronunciou palavras de encorajamento que apontam para as verdades da Bíblia e confortam, motivando-nos a continuar marchando. São palavras que nos inspiram a amar Cristo, a confiar nele e a viver por ele — para sermos mulheres segundo o coração de Deus — e estabelecermos um exemplo sólido de força e fé no Senhor para nossas filhas.

O POVO DE DEUS É EXEMPLO DE ENCORAJAMENTO

Tenho certeza de que você se lembra de como se sentiu enquanto enfrentava algum sofrimento, de sua ansiedade e luta com a dor. E então, louvado seja o Senhor, alguma alma santa se aproximou de você e a encorajou com um sorriso, um abraço, um ouvido atento, um coração amoroso. E, além de todos esses meios de encorajamento, essa pessoa a abençoou com palavras que elevaram seu espírito e lhe deram esperança e poder para prosseguir sem titubeios nessa jornada. Encorajamento para você continuar tentando, não desistir e confiar no Senhor. O ministério de encorajamento dessa pessoa trouxe alívio, coragem e energia a seu coração.

Para lições incríveis sobre encorajamento, o Novo Testamento apresenta uma lista de pessoas tementes a Deus e seus valorosos exemplos de vida. As mães de hoje podem aprender com vários gigantes da fé da Bíblia — pessoas que compreenderam e administraram o poderoso dom de encorajar os outros. À medida que você acompanha a leitura, tenha em mente a vida e as necessidades de sua filha. Damas primeiro!

Maria e Isabel

Maria, prestes a ser mãe de nosso Senhor, acabara de receber notícias surpreendentes do anjo Gabriel: conceberia um bebê pelo Espírito Santo. Gabriel falou que sua parenta, Isabel, apesar da idade avançada, também teria um bebê. Maria, grávida e solteira, estava em uma situação extremamente difícil. Provavelmente uma adolescente à época, tomou a decisão de visitar Isabel.

Com certeza, a viagem de Maria valeu o esforço da árdua caminhada até a casa da parenta. A Bíblia relata que, quando Maria atravessou a porta da casa de Isabel, esta imediatamente ficou cheia do Espírito Santo e cumprimentou Maria com palavras encorajadoras e afirmativas: *Mas por que me acontece isto, que venha me visitar a mãe do meu Senhor? Pois, logo que ouvi o teu cumprimento, a criancinha saltou de alegria dentro de mim. Bem-aventurada [Maria] a que creu que se cumprirão as coisas que lhe foram faladas da parte do Senhor* (Lucas 1:43-45).

De todas as pessoas no planeta,
os cristãos deveriam ser as mais positivas.

Depois de ouvir essas palavras de grande encorajamento, Maria irrompeu em louvor e adoração e proferiu sua famosa canção, o "Magnificat", que se inicia com as seguintes palavras de exaltação: *A minha alma engrandece ao Senhor* (v. Lucas 1:46-55).

Não é maravilhoso o que um pouco de encorajamento pode fazer para ajudar uma pessoa a aceitar a realidade, olhar para o futuro e dar louvor, honra e glória a Deus?

Barnabé

Nos capítulos iniciais de Atos dos Apóstolos, encontramos vários companheiros de viagem do apóstolo Paulo, incluindo um homem chamado José. Era uma pessoa tão positiva que os apóstolos de Jerusalém lhe deram o apelido de *Barnabé*, que quer dizer *filho de consolação* (Atos 4:36). Vemos o

180   EDUCANDO FILHAS SEGUNDO O CORAÇÃO DE DEUS

uso de seu apelido em plena ação quando, em uma missão, ele chegou a Antioquia. Desde o primeiro momento em que pôs os pés na cidade, a atitude com que ele ministrava era contagiosa: *Ali chegando, Barnabé alegrou-se ao ver a graça de Deus e exortava a todos a perseverarem no Senhor com firmeza de coração*"(Atos 11:23).

Paulo

Você esperaria que o grande apóstolo Paulo fosse um grande encorajador, não é mesmo? E ele realmente era! Por exemplo:

Para as igrejas recém-fundadas. E, depois de anunciar o evangelho naquela cidade e de fazer muitos discípulos, [Paulo e Barnabé] voltaram para Listra, Icônio e Antioquia, renovando o ânimo dos discípulos, exortando-os a perseverar na fé, dizendo que em meio a muitas tribulações nos é necessário entrar no reino de Deus (Atos 14:21,22).

Para Lídia. [Paulo e Silas] saíram da prisão e foram para a casa de Lídia. Ao verem os irmãos, os encorajaram e, depois, partiram (Atos 16:40).

Para uma região com seguidores de Cristo. Depois de andar por aquelas regiões e encorajar os discípulos com muitas palavras, chegou à Grécia (Atos 20:2).

Para todos os que viajavam com ele num navio. Em meio a uma tempestade mortal no mar Mediterrâneo, Paulo proferiu as seguintes palavras de profecia, verdade e esperança para os passageiros e a tripulação: *Enquanto amanhecia, Paulo pedia com insistência a todos que comessem alguma coisa, dizendo: Hoje já é o décimo quarto dia que esperais e permaneceis em jejum, sem comer coisa alguma. Recomendo-vos, portanto, que comais alguma coisa, porque o vosso livramento depende disso; pois nem um cabelo cairá da vossa cabeça* (Atos 27:33,34). Então ficamos sabendo que Paulo, depois de proferir essas palavras, *tomou o pão, deu graças a Deus na presença de todos e, partindo-o, começou a comer. Então todos se animaram e também comeram* (vv. 35,36). Ah, e o resultado? Os colegas de viagem do apóstolo Paulo deixaram de lado o desespero e fizeram o que era preciso para sobreviver à tempestade. Naquela mesma manhã, eles avistaram a terra firme e todos foram salvos.

O ministério de encorajamento deveria ser predominante em seu coração e sua mente. De todas as pessoas no planeta, os cristãos deveriam ser as mais positivas. Como cristã, o Espírito Santo, o Conselheiro, habita em seu ser. Você tem *tudo que diz respeito à vida e à piedade, pelo pleno conhecimento daquele que nos chamou por sua própria glória e virtude* (2Pedro 1:3). Portanto, uma vez que todas essas bênçãos e recursos — e muito mais! — trabalham em seu favor, siga a orientação do salmista: *Alegrai-vos no Senhor e regozijai-vos, ó justos; cantai de júbilo, todos vós que sois retos de coração* (Salmos 32:11). Compartilhe isso! Grite essa verdade! Passe-a adiante... começando com aqueles mais próximos de você: os de sua casa e de sua família (incluindo sua filha que precisa de encorajamento diário).

SEJA A PRINCIPAL ANIMADORA DE SUA FILHA

Deus nunca nos dá uma tarefa sem nos dar a graça e os meios para cumprir essa função. Quando refleti sobre *como* você pode ser a principal animadora de sua filha, pensei nas três fases que Deus me levou a implantar em minha casa e em meu relacionamento com as meninas. Aqui estão elas... bem, espere um pouco. Mais uma vez, isso começa com você e com seu coração, mãe.

Fase 1: Uma decisão

Como todas as mães e mulheres, também enfrento "aqueles dias". Na verdade, aprendi que, nesses dias, eu deveria esperar lombadas, obstruções e ciladas no caminho — talvez muitas delas!

182   Educando filhas segundo o coração de Deus

Essa é a mensagem que descobri nos lábios de Jesus quando li a declaração que, no mundo, *teremos* tribulações, aflições e dificuldades.[1] Esse conhecimento foi um despertar para que, todos os dias, eu focasse minha mente no que é certo, de preferência antes que deparasse com a primeira surpresa.

Como primeira atitude do dia, firmei o compromisso de buscar encorajamento na Palavra de Deus. Eu queria ser positiva em meus vários papéis — de mulher, esposa e mãe. Sempre que eu encontrava um versículo capaz de renovar minha confiança no plano, na sabedoria e na soberania de Deus com respeito à minha rotina diária e aos meus desafios — e também à maternidade —, eu o marcava. Cheguei a usar um código na margem de minha Bíblia para que pudesse encontrar com rapidez o encorajamento em Deus sempre que necessário. (E também aprendi a ter uma Bíblia sobre a mesa da cozinha, aberta e pronta para um acesso rápido quantas vezes fossem necessárias!)

Até hoje, quando algo perturbador acontece em minha vida, e as Escrituras iluminam meu dia e inundam meus caminhos com esperança, anoto a passagem na margem de minha Bíblia. (Honestamente, algumas vezes acho que minha Bíblia se parece mais com um diário. Quem precisa de um diário? Está tudo ali na própria Bíblia!) Depois de muitos anos fazendo anotações de encorajamento, tudo o que consigo dizer é: Quem precisa de remédio ou "estimulante" quando temos à mão milhares de versículos que nos dão a perspectiva divina sobre qualquer coisa que esteja acontecendo? A Bíblia é o medicamento mais milagroso do mundo.

Agora pense em sua filha — sua preciosa e amada filha. Ela precisa que você seja positiva e uma fonte de força e apoio. O rei Davi, no Antigo Testamento, fez a seguinte pergunta: [...] *de onde vem o meu socorro?*. A resposta? *Meu socorro vem do Senhor, que fez os céus e a terra* (Salmos 121:1,2). A ajuda do Senhor está ali na Bíblia, prontinha para você usar; e também está ali para sua filha se beneficiar. À medida que Deus fala com você por intermédio da Bíblia, você é abençoada e imersa na esperança. E então você é capaz de dar meia-volta e abençoar sua filha com essa Palavra. Você precisa encorajá-la com a força e a sabedoria de Deus enquanto ela atravessa os momentos de angústia em sua jovem vida. Seja cuidadosa. Fique alerta. Ao primeiro indício de frustração, desespero ou desapontamento, abra a boca e profira uma palavra de encorajamento.

Fase 2: Um repositório

Assim que encontrei o baú com o tesouro de Deus repleto de palavras de encorajamento, memorizei as minhas favoritas. Depositei-as no fundo de meu coração. Queria ser capaz de recuperá-las a qualquer tempo, em qualquer lugar, como estimulantes imediatos. Também as destaquei em azul em minha Bíblia. Que riqueza de energia espiritual, sabedoria e aconselhamento prático! Agora, se algo difícil acontece, se pensamentos negativos começam a dominar minha mente ou se o temor se levanta diante de alguma adversidade ou do futuro, paro e recorro a meu arsenal de verdades poderosas.

E o mesmo pode acontecer com você. Assim que você armazenar em seu coração as palavras de força provenientes de Deus, poderá transmitir esse poder à sua filha. Você poderá compartilhar com ela a sabedoria da Antiguidade e os conselhos de Deus em todas as situações da vida. Ao primeiro sinal de desencorajamento ou ao primeiro indício de desânimo de sua filha (a mãe sempre sabe!), você terá alguma ajuda a oferecer — uma ajuda de fato! Essa é uma forma fantástica e natural de ensinar a verdade à sua filha, ajudá-la a atravessar os momentos difíceis e mostrar-lhe como recorrer à força do Senhor durante toda a vida. E um bônus adicional é que você estará compartilhando a Palavra de Deus, e não uma perspectiva humana. Você, uma mãe segundo o coração de Deus, estará gravando as palavras do Senhor no jovem coração de sua filha. E elas estarão sempre ali para que sua filha possa recorrer a elas quando você não estiver mais por perto.

Fase 3: Uma exortação divina

Certo domingo, ouvi uma maravilhosa mensagem sobre as instruções de Deus para que seu povo se aconselhasse e se edificasse mutuamente (1Tessalonicenses 5:11). O pastor explicou que uma parte de encorajar os outros é *proferir* o encorajamento. É compartilhar uma "palavra na hora certa" ou "uma palavra de encorajamento". Isso pode ser feito verbalmente em um encontro pessoal, em um estudo bíblico ou ainda em um grupo de oração... quem sabe até mesmo em uma megaconferência? O encorajamento também pode ser feito por escrito — por meio de um livro, um bilhete, uma carta, um *e-mail* e até mesmo uma breve mensagem de texto enviada pelo *Twitter*! E o conteúdo tem sempre o objetivo de dar esperança para alguém que está deprimido, desanimado ou acovardado. Devemos *consolar os desanimados* (v. 14) e dar *coragem aos tímidos* (NTLH).

Depois de ter essa percepção, passei a sempre buscar encorajar as pessoas com quem conversava. Dei um passo adiante e, todos os dias, pedia a Deus que me ajudasse a pensar em alguma verdade de sua Palavra para transmitir a alguém com quem conversasse, em especial aquelas pessoas feridas e alquebradas pela vida.

E adivinhe quem estava no topo de minha lista de oração naquela época — e ainda hoje. Adivinhe quem sempre recebe (e deveria receber) o primeiro lugar no meu ministério de encorajamento. Minha família — meu marido e minhas duas filhas! Naquela época, muitos anos atrás, comecei, por meio da oração regular, a me treinar nesse ministério. Comecei a pensar com propósito sobre quais seriam minhas primeiras palavras para os nossos familiares a cada nova manhã. Também me perguntava: O que devo compartilhar com eles quando retornarem para casa, vindo do parque, da escola, do trabalho? Essas palavras deveriam ser positivas, afirmativas, estimulantes, poderosas e, assim eu esperava, memoráveis, algo a que eles poderiam recorrer quando o mar ficasse bravio. Os céus sabem que eles seriam derrubados e esmagados todos os dias "lá fora", quando estivessem distantes de casa... e durante o resto da vida! Não foi isso o que Jesus disse? *No mundo tereis tribulações.* E você não fica feliz com as palavras que Jesus acrescentou logo a seguir: *mas não vos desanimeis! Eu venci o mundo* (João 16:33)?

FORÇA PARA HOJE, ESPERANÇA PARA AMANHÃ

Pense nisso. Em apenas um dia, seja em casa ou na escola, há uma longa lista de possíveis fracassos podem acometer sua filha. Por exemplo, uma criança que cai, belisca o dedo em alguma coisa ou morde a língua quando tenta mastigar algum alimento... Um desastre como esses significa muitos gritos e muitas lágrimas.

Se for uma criança em idade pré-escolar, talvez sua filha não consiga aprender bem o alfabeto ou correr tão rápido quanto alguma outra criança. A tendência é desistir, parar de tentar, retrair-se e sentir-se infeliz. Ou talvez as opções em sua lancheira não sejam tão especiais quanto o lanche das outras crianças, e, em razão disso, ela acaba ficando sozinha, enquanto os outros riem ou zombam dela. Ou talvez ainda,

186 Educando filhas segundo o coração de Deus

na sala de aula, ela tenha sido escolhida para responder a uma pergunta e não tenha sabido dar a resposta, ou, pior ainda, tenha dado a resposta errada! É fácil para uma criança em idade pré-escolar pensar que há algo errado com ela.

E quanto às meninas em idade escolar? Bem, é nesse momento que o ruim pode ficar pior! As tribulações e as possibilidades de fracasso se multiplicam. As crianças podem ser cruéis e mesquinhas. E o *bullying* é real. As meninas começam a formar grupos, e sua filha não faz parte de nenhum deles... ou quem sabe não faz parte do grupo correto nem do melhor deles? A lição de casa fica mais difícil à medida que ela avança nos anos escolares. E manter o passo com as lições de casa, os exames e as atividades extraescolares passa a ser excruciante. E isso para não falar das notas! E os meninos? Aí, então... "Hoje, o garoto bonitão e popular não falou comigo nem olhou para mim" ou "Todas as meninas têm namorado, menos eu! O que há de errado comigo?" Ou ainda: "Todo mundo namora, mãe. Por que você não me deixa namorar?" E sempre há alguém com mais dinheiro, melhores férias, roupas mais badaladas e notas mais altas. Isso é fato.

Nesse tanque profundo de águas amargas, *você* — a animadora particular de sua garota em crescimento —, tem, como Moisés, de lançar os elementos que adocem as águas envenenadas (v. Êxodo 15:22-26). É *isso* o que as palavras encorajadoras fazem por sua filha! Elas curam o coração e tornam os problemas cotidianos mais suportáveis. As palavras de Deus compartilhadas do fundo do coração da mãe amorosa se transformam em estrelas brilhantes contra um céu escuro. Suas palavras de sabedoria e verdade se transformam no combustível que levará sua filha até o fim de um dia de pesadelo. Pense nisso: *você* precisa dar à sua filha — qualquer que seja a idade dela e para sempre — a dádiva diária do encorajamento amoroso para seu dia e a esperança brilhante para todos os amanhãs.

Você pode!

A seguir, reunimos algumas sugestões que podem contribuir para que você se torne a mãe que sonha ser. Cada uma delas ajudará você a melhorar sua vida... e a de sua filha também. Aqui vamos nós!

Encoraje sua filha com seu exemplo

Atitude é tudo. E sua atitude contribui poderosamente para o bem-estar de sua filha. Se suas emoções oscilam como o pêndulo de um relógio antigo, não demorará até que seu comportamento errático tenha um efeito negativo nas emoções de sua filha. O que a Bíblia diz? *O coração alegre embeleza o rosto, mas o espírito se abate pela dor do coração* (Provérbios 15:13). A atitude positiva e alegre é contagiosa — e encorajadora. Lembre-se: uma animadora é mais necessária quando as coisas não andam bem.

Encoraje sua filha com suas palavras

Quando sua pequena estiver doente ou tiver de enfrentar um grande teste, ela precisará de encorajamento. Se sua filha teve um dia difícil na escola, se sofreu um revés ou enfrentou algum problema com as amigas, suas palavras podem fazer uma grande diferença na atitude e na reação dela. É verdade que a *ansiedade no coração abate o homem, mas uma boa palavra o alegra* (Provérbios 12:25). Há dor e feiura suficientes no mundo; portanto escolha a "boa palavra" para oferecer à sua filha e alegrar-lhe o coração. Nenhuma filha jamais receberá elogios suficientes, em especial dos lábios de sua mãe. Assim,

188 Educando filhas segundo o coração de Deus

derrame-se em elogios! Como sentinela, ponha-se em guarda o dia todo e observe os momentos em que sua filha faz algo digno de louvor. Depois, certifique-se de que ela saiba como é maravilhosa! Como alguém descobriu, "ser mãe é elogiar seus filhos. E muito".[2] E não se esqueça: independentemente do que você estiver fazendo — colocando sua filha na cama para dormir, acordando-a, mandando-a para a escola, recebendo-a quando volta da escola —, faça isso com "uma boa palavra". Ela carregará esse louvor e essa afirmação com ela por muitos anos — talvez pela vida toda.

Encoraje sua filha com as promessas de Deus

Sua filha precisa de uma promessa? A Bíblia nos oferece milhares de promessas poderosas. Elas representam um recurso valioso para você compartilhar com sua filha desde o momento em que ela aprende a falar. As promessas de Deus foram registradas para serem abraçadas — como o maná que caía sobre o solo. Elas são oferecidas a você, à sua filha e a todos os cristãos pelo Pai fiel e celestial que não promete o que não está disposto a dar. Com relação às promessas de Deus, Salomão testificou: [...] *não falhou nem sequer uma de todas as boas palavras que falou por intermédio de Moisés, seu servo* (1Reis 8:56). Independentemente do que sua filha está passando — o doloroso *buáá* da criancinha de berço, a queda da bicicleta aos 6 anos de idade, o trauma da primeira nota baixa na escola ou a perda da melhor amiga quando adolescente —, Deus tem uma promessa só para ela. E para você também! Veja a seguir algumas preciosidades que pode compartilhar com sua filha a fim de animá-la quando ela precisar de:

- Coragem — Josué 1:9.
- Conforto — 2Coríntios 1:3,4.

- Orientação — Provérbios 3:5,6.
- Paz — João 16:33.
- Força — Filipenses 4:13.
- Sabedoria — Tiago 1:5.
- Um lembrete de seu valor — Mateus 10:29-31.

Encoraje sua filha com suas orações

À medida que você lembra continuamente à sua filha que sempre ora a Deus por ela, já a está ajudando a sentir-se encorajada. Seu ato de intercessão demonstra quanto você se preocupa com ela e como deseja o melhor para a vida dela quando a apresenta diante de Deus. Sua fé na oração encoraja sua filha a também ter fé na oração. Imite a prática — e o coração — do apóstolo Paulo. Ele orava consistentemente por seu jovem amigo Timóteo. Em suas cartas a Timóteo, Paulo fez o amigo saber que estava orando por ele. O apóstolo escreveu o seguinte: [...] *ao mencionar-te sempre em minhas súplicas noite e dia* (2Timóteo 1:3). Por que você não anima sua filha com essas mesmas palavras? Escreva essas palavras no guardanapo da lancheira. Registre-as em um cartão em cima do travesseiro. E não se esqueça de deixá-la ouvir você orando por ela.

Encoraje sua filha com os exemplos de outras pessoas

A Bíblia diz que estamos *rodeados de tão grande nuvem de testemunhas*, as quais correram *com perseverança a corrida que nos está proposta* (Hebreus 12:1). Você já leu sobre um bom número de exemplos mencionados neste livro, incluindo Jesus e Paulo. De uma menininha em seus braços até a adolescente que necessita de modelos vigorosos, você tem esses exemplos bíblicos para compartilhar com sua filha. Da recém-nascida à adolescente, e até a idade adulta, uma boa prática mãe-filha é ler e estudar a vida e a fé dos homens e das mulheres da Bíblia. (E não se esqueça de mostrar a ela Miriã, a menina *da terra de Israel, que passou a servir à mulher de Naamã* (2Reis 5:2), e Maria, mãe de Jesus, ambas adolescentes que exibiram grande fé e coragem.) Leia as histórias de exemplos do tempo moderno, cujas vidas exibem encorajamento. Fanny Crosby é um bom exemplo pelo qual começar: cega de nascimento, ela superou grandes obstáculos, passando a escrever milhares dos mais sublimes hinos — canções que apontam para uma confiança mais profunda em Deus. Permita que esses exemplos animem sua filha, fazendo-a perceber que eles dizem simplesmente: "Siga em frente, garota!".

Encoraje sua filha com a esperança em Cristo

Que maior encorajamento sua filha pode receber do que a esperança eterna oferecida em Cristo? Para aqueles momentos em que você ou sua filha se sentem desencorajadas, as palavras de Pedro oferecem alegria e esperança: *Bendito seja o Deus e Pai de nosso Senhor Jesus Cristo, que nos regenerou para uma* viva esperança (1Pedro 1:3; grifo da autora). Se sua filha já entregou a vida a Cristo, essa esperança é para hoje, amanhã e para todos os amanhãs em seu futuro. Independentemente da dor ou tribulação que sua filha enfrentará na vida, ela pode confrontá-la ou suportá-la com esperança. Permita que Jesus anime sua filha durante esses períodos de dificuldade ou desânimo: *Não se perturbe o vosso coração. Crede em Deus, crede também em mim* (João 14:1).

O bloco de reflexões maternas

Antes de seguir para sua próxima missão de mãe, separe 1 ou 2 minutos para refletir sobre como você pode manter-se alinhada com Deus. Planeje alguns poucos passos que farão uma grande diferença em sua vida e na vida de sua filha:

1. Todos nós precisamos de uma animadora... incluindo eu mesma! Sei como o encorajamento foi importante durante minha infância e adolescência, com todas as emoções e desafios que enfrentei. Isso serve como um bom lembrete das necessidades de minha filha por uma animadora fiel. Em minhas próprias palavras, descrevo uma animadora da seguinte maneira:

_____

_____

_____

_____

2. Obviamente, Jesus é o maior encorajador de todos os tempos. Ele falava a verdade e nos deu instruções para que superássemos os problemas da vida. O que posso dizer à minha filha na próxima vez em que ela se sentir deprimida, desanimada ou ferida?

_____

_____

_____

_____

3. Quero para nós duas — para minha filha e para mim — o mesmo relacionamento que havia entre a jovem Maria e sua prima mais velha, Isabel. Ao pensar no tempo em que essas duas mulheres passaram juntas, notei que Isabel louvou e apoiou Maria. Aqui está a lista de cinco coisas maravilhosas pelas quais posso elogiar minha filha:

_____

_____

_____

_____

_____

"Senhor, ajude-me a seguir em frente e animar minha filha ao lembrar-me de louvá-la por suas magníficas qualidades."

4. E Barnabé? Quero ser a animadora, uma verdadeira "filha do encorajamento" para minha pequena! Barnabé encorajava as pessoas próximas a ele a continuar com o Senhor, e isso com propósito de coração. De que formas posso fazer o mesmo por minha princesa?

_____

_____

_____

_____

"Senhor, ajude-me a falar do Senhor toda vez que conversar com minha filha."

5. Paulo também! Ele realmente colocou em prática suas palavras — usando-as para fortalecer e encorajar os outros a confiarem no Senhor e continuarem na fé. Os versículos que mais me encorajam — e que eu poderia compartilhar com minha filha — são os seguintes:

_____

_____

_____

_____

"Senhor, algumas vezes é difícil para mim levantar a voz, mas, por favor, ajude-me a abrir a boca para que eu possa compartilhar maravilhas saídas diretamente de sua Palavra."

Capítulo 10

A PASTORA

Eu sou o bom pastor; o bom pastor dá a vida pelas ovelhas.

— João 10:11

Foi uma daquelas histórias inesquecíveis. Na realidade, vinte anos mais tarde, ainda está vividamente impressa em minha mente, em especial toda vez que caminho por uma praia banhada de sol. Lembro-me de estar sentada na igreja em um domingo de manhã. Dali, fui transportada pela ilustração do pastor a respeito dessa praia no Pacífico Sul. Nesse local, conforme o pastor explicou, um marido enlutado enterrou a esposa na areia da praia, ali em seu novo posto missionário. Depois, fez uma vigília solitária diante do túmulo de sua amada, vigília que durou dias e noites para afastar os canibais **à espreita** em um bosque de palmeiras na beira da praia.

Mais tarde, quando esse missionário começou seu ministério e fez contato com o povo da ilha, vários canibais se aproximaram com uma questão. Eles o viram guardando o túmulo de sua esposa e queriam saber: "Quem eram aqueles homens que estavam com você na praia?". Confessaram que estavam prestes a atacar, mas mantiveram distância porque o missionário estava rodeado por guardas.

Quem *eram* aqueles homens com ele na praia? Quem sabe a resposta? Só podemos imaginar! Essa cena, no entanto, não lhe traz à lembrança o fato de que o *anjo do SENHOR acampa ao redor dos que o temem e os livra* (Salmos 34:7)?

O PAPEL DE PASTORA

Deus não é magnífico... e misterioso? Verdadeiramente, as *coisas encobertas pertencem ao* Senhor *nosso Deus* (Deuteronômio 29:29). Deste lado do céu, jamais saberemos como Deus nos envolve e nos protege. "Canibais" de todos os tipos, conforme aconteceu ao missionário, observam atrás das árvores de nossa vida. Não podemos vê-los, mas sabemos que Deus nos cerca com seu amor e proteção.

Amor e proteção. Isso, para mim, assemelha-se à atitude das mães. E também à atitude de uma pastora — outro aspecto relacionado a ser a mãe com o objetivo de educar uma filha segundo o coração de Deus. Assim como o Senhor é fiel ao cuidar de seu povo, a missão da mãe é guardar sua criança, sua filha. A mãe tem a tarefa de espantar todos os abutres, inimigos e canibais que poderiam feri-la. A mãe de hoje não é chamada para ser moderna, legal e divertida. Foi chamada para ser vigilante, dormir com os olhos abertos e os ouvidos atentos, para viver sua vida como pastora de seu rebanho. Em nosso caso, esse rebanho é nossa pequena ovelha, nossa filha preciosa e de valor inestimável.

A Bíblia está repleta de ilustrações que envolvem pastores e rebanhos. Esses exemplos do reino animal nos oferecem um bom modelo de como uma mãe segundo o coração de Deus deve ver seu papel de pastora. Por exemplo:

- As ovelhas são criaturas dependentes que precisam ser conduzidas até o alimento e a água, e ser protegidas dos animais selvagens. Sua filha precisa de orientação.
- As ovelhas não podem sobreviver sozinhas em áreas abertas; devem sempre estar na companhia de um pastor.
- As ovelhas respondem ao cuidado e à direção do pastor. Sua filha precisa de seu amor e sua liderança.

196   Educando filhas segundo o coração de Deus

Nos tempos bíblicos, o pastor do Oriente Médio amava suas ovelhas, chamava cada uma pelo nome e cuidava ternamente delas. E, se algum inimigo aparecesse, o pastor se colocava entre as ovelhas e as bestas selvagens. Depois de um longo e agitado dia de liderança e vigilância, o pastor se deitava e dormia na frente da única porta de seu aprisco. Por que ali? Porque qualquer inimigo ou predador teria de passar por ele antes de atacar o rebanho.

Grave esta figura do pastor fiel em seu coração, porque é desse modo que as mães cristãs devem encarar a missão de pastora vigilante de suas filhas em crescimento.

A MÃE PASTORA DOS TEMPOS MODERNOS

Antes de tornarmos a coisas mais pessoal, caríssima mãe, examine um dos pastores espirituais de Deus, o apóstolo Paulo. Ele foi fundamental na fundação da igreja em Éfeso. Podemos dizer que, de certa forma, ele deu à luz essa igreja! Por três anos, Paulo pastoreou o pequeno rebanho de cristãos que moravam em meio ao paganismo efésio. Após preparar um grupo de líderes, Paulo seguiu adiante. No entanto, algum tempo depois, quando viajava de navio para Jerusalém e aportou em uma praia próxima, chamou os presbíteros efésios para que se encontrassem com ele (v. Atos 20:17-38).

O que o pastor Paulo disse aos líderes do rebanho efésio? Apelou apaixonadamente a eles e implorou que tomassem conta do rebanho e alertassem a igreja quanto à segurança e bem-estar espirituais. A paixão e a mensagem de Paulo também se aplicam a você, a mãe responsável pela educação de sua filha. Sua filha precisa de um olhar cuidadoso e de sabedoria para garantir sua segurança e sobrevivência. O que você precisa fazer como a mãe pastora dos dias modernos?

Alimente sua filha com o pão da vida

Não é novidade para você que um pastor o tempo todo se certifica de que as ovelhas tenham alimento. No entanto, como pastora de sua filha, "alimentar" não quer dizer necessariamente prover refeições e lanches deliciosos (o que é sempre muito bom e bem-vindo!). Significa ser a pastora espiritual da menina, provendo para a alma alimento proveniente da Palavra de Deus, a Bíblia.

Observe Paulo mais uma vez. Como pastor do povo de Deus, ele afirmou com ousadia: *Porque não deixei de vos anunciar todo o propósito de Deus* (Atos 20:27). Por três anos, o apóstolo ensinou fielmente a Palavra de Deus aos cristãos efésios. E não pegou atalhos — entregou todo o conselho de Deus. Nenhum alimento substituto foi usado — ele lhes deu o "puro leite" e o "alimento sólido" da Palavra. Nenhuma mensagem velada foi comunicada, e Paulo declarou com toda a clareza a verdade de Deus.

Jesus disse isto a Pedro: *Cuida das minhas ovelhas* (João 21:17) e, nesse versículo, o verbo "cuidar" transmite a ideia de alimentar e nutrir. Essa era a principal tarefa de um pastor — garantir que o rebanho se alimentasse com aquilo que era essencial para sua sobrevivência. E, em seu caso, sua filha merece e exige alimento substancial. Portanto, querida mãe, como pastora, é sua alegria e privilégio prover oportunidades para que sua filha se alimente com a Palavra de Deus.

Não, você não é a única provedora de alimentos, mas deve realmente se certificar de que sua menina seja generosamente exposta à Palavra de Deus. Você pode encontrar formas empolgantes e criativas para...

- Encorajá-la em todas as idades a ler e estudar sua Bíblia. Se a Bíblia for importante para você, também será importante para sua filha. Lembre-se: uma pastora deve liderar as ovelhas ao longo do caminho.

- Garantir que ela vá à igreja, ao estudo bíblico e ao grupo de jovens, pois assim terá a oportunidade de se alimentar da Palavra de Deus. Lembre-se: um pastor deve levar as ovelhas para pastos verdejantes onde o alimento possa ser encontrado.

- Ajudá-la a criar o hábito das devoções pessoais, talvez até mesmo junto com você e, assim se espera, com toda a família. Lembre-se: uma pastora "faz" sua ovelha deitar em pastos verdejantes e alimentar-se bem nessas pastagens (v. Salmos 23:2).

- Trazer Deus à vida diária sempre que você estiver com sua filha. Lembre-se: uma pastora conversa com suas ovelhas.

Assim que você planejar, preparar e servir a Palavra de Deus de forma criativa e interessante (afinal, apresentação é tudo!), não se esqueça de orar. Peça diariamente que Deus trabalhe no coração de sua filha por meio da Palavra e do Espírito Santo. Certifique-se apenas, assim como faz o pastor, de colocar o pão da vida — o maná do céu — diante de sua pequena para que ela possa se alimentar regularmente e alegrar seu coração.

Cuide de sua filha com olhar vigilante

Um bom pastor toma conta de seu rebanho, sempre à procura de quaisquer sinais de que algum inimigo possa estar por perto. Paulo passou três anos pastoreando seu pequeno rebanho de cristãos recém-nascidos. Foi um guardião fiel. Quando se despediu dos líderes para voltar a Jerusalém, agiu como o pastor que era e lembrou-os de cuidarem da própria condição espiritual, transformando-a em altíssima prioridade. Disse-lhes:

Portanto, tende cuidado de vós mesmos (Atos 20:28). Em outras palavras: Prestem atenção e fiquem em guarda!

E o mesmo é verdade para você, mãe. Faça tudo o que estiver ao seu alcance para manter seus pensamentos na Bíblia. Isso a manterá atenta, alerta e sintonizada com a perspectiva de Deus. E você deve apurar seu radar de mãe para localizar os inimigos e lobos, tão logo eles surjam nos ambientes frequentados por sua filha. (Isso mesmo, lobos adoram caçar as ovelhas!) Portanto, tenha "bom senso" e fique atenta (1 Pedro 5:8). A pastora guarda seu rebanho.

Enquanto escrevo sobre ser a pastora de minhas filhas, não posso deixar de me lembrar de uma época específica em que eu me preocupava demais sobre a forma com que estavam se saindo na jornada da vida. Compartilhei em outro capítulo a passagem de Provérbios 22:6 — *Instrui a criança no caminho em que deve andar, e mesmo quando envelhecer não se desviará dele* —, e como ele se tornou para mim um dos "versículos para a maternidade". Como mãe com cerca de 20 e poucos anos, arregacei as mangas da maternidade e abracei a educação de minhas filhas com todo o vigor! Minha missão? O que mais poderia fazer senão guiar minhas filhas no caminho em que deveriam andar? Eu queria que elas seguissem a Deus com todo o coração.

Bem, cerca de dez anos atrás, quando minhas filhas entraram na adolescência, eu, a sentinela, observei algumas atitudes e ações que me preocupavam. Compartilhei essas observações com meu marido, Jim, e juntos procuramos ajuda junto a outros pais que pareciam estar em sintonia conosco quanto à educação dos filhos. Cada um desses pais nos ofereceu conselhos simples, os quais se resumiam basicamente a estabelecer limites mais rígidos e restringir as amizades a meninas e garotos que exerceriam uma influência positiva na vida de nossas filhas.

200 EDUCANDO FILHAS SEGUNDO O CORAÇÃO DE DEUS

Acredite em mim: observar — e fazer algo sobre o que você vê — exige tempo! E também atenção. Apesar de sua vida agitada, você terá de investir parte de seu tempo e energia para concentrar-se no coração e na alma de sua filha. Uma sentinela está sempre à espreita indagando:

— O que será que está acontecendo na vida de minha filha?

— Quem são suas amigas e amigos?

— Houve alguma mudança negativa no humor e nas atitudes dela?

— Existem sinais de rebelião contra mim ou contra o pai?

Essas são perguntas que você precisa fazer a si mesma enquanto toma conta de sua filha.

Alerte sua filha sobre os perigos

Não basta ficar atento aos sinais de que o inimigo está se aproximando. O pastor também deve dar o passo seguinte e soar o alarme — longo, alto, claro, e repetidas vezes! O apóstolo Paulo sabia o que o inimigo era capaz de fazer e foi bastante vívido em sua descrição. Observe a linguagem utilizada:

> *Eu sei que depois da minha partida lobos cruéis entrarão no vosso meio e não pouparão o rebanho, e que dentre vós mesmos se levantarão homens falando coisas distorcidas para atrair os discípulos para si* (Atos 20:29,30).

Nem sempre as advertências para sua filha quanto às possíveis armadilhas e aos perigos iminentes são fáceis ou bem-vindas. Sua filha é inexperiente e tem conhecimento limitado sobre o mundo e a maldade. Não se surpreenda se ela disser algo como: "Ah, mãe, por que você é tão tensa? Por que não pode simplesmente deixar eu me divertir um pouco? O que há de errado com minhas amigas e amigos?"

Essa é sua deixa para fazê-la lembrar-se de quem você é: sua mãe e pastora, aquela que está sempre alerta quanto aos perigos que a cercam. Ninguém a ama e cuida dela tanto quanto você.

A seguir, lembre à sua filha qual é seu papel como mãe: tomar conta e advertir. Isso exige que você a guie, manifeste-se com relação ao comportamento dela e aja. Você é a mãe e sabe mais. Seja sua atitude popular ou não para sua filha, você deve fazer o que for necessário para protegê-la.

A mãe sábia está ciente de que todas as faixas etárias e cada estágio de desenvolvimento da filha requerem diferentes táticas e abordagens. Alguns passos básicos apresentados a seguir poderão orientá-la nesse sentido:

- Comece sua advertência reafirmando seu amor.
- Reveja o plano de salvação de Deus.
- Compartilhe suas razões para estar preocupada.
- Mostre à sua filha o que a Bíblia diz a respeito.
- Continue a conversar, independentemente da reação de sua filha.
- Discuta a importância de cultivar os tipos certos de amizade.
- Deixe sua filha ouvir você orando por ela.
- Não ceda nem desista.

Pense no comentário a seguir, feito por um estudioso da Bíblia em relação a Paulo, o pastor, e à sua disposição para advertir fielmente seus filhos na fé, conforme lemos em Atos 20:

Paulo [...] entendia que não podia haver crescimento em Cristo sem a transmissão da verdade. Você está cumprindo sua responsabilidade de declarar a verdade de Deus para aqueles que ele pôs soberanamente em sua vida — cônjuge, vizinho, filho? Ou você hesita em cumprir essa tarefa? A única maneira de ter uma consciência limpa é confiar em Deus e falar com coragem sobre ele.[1]

A recompensa de sua perseverança em pastorear sua filha como Deus ordena será grande não apenas no presente, mas na vida por vir e além dela.

DESEMPENHE SEU PAPEL DE PASTORA

Nenhuma de nossas filhas namorou muito, fato pelo qual somos eternamente gratos. No entanto, como acontece com todas as garotas, houve ocasiões em que elas achavam que tinham se apaixonado pelos rapazes que sabíamos não serem apropriados. Quais eram os sinais que nos alertavam? Tanto Jim quanto eu nos sentíamos desconfortáveis com a falta de maturidade espiritual desses rapazes. Alguns tinham problemas de caráter óbvios que nós, fiscais, percebíamos e não apreciávamos nem um pouco! Então aprendemos a debater com nossas filhas e a falar com franqueza. Fincávamos, por assim dizer, o pé. E fazíamos o que nossos conselheiros sugeriam, estabelecendo limites e restringindo a amizade de nossas filhas com esses rapazes. Não era fácil nem divertido. Às vezes, havia lágrimas e gemidos. Mas fazíamos o que precisava ser feito. O prêmio? Nossas duas filhas — e seus maridos — agradecem nosso esforço protetor e o fato de termos sido pastores fiéis.

Não sei em que estágio da maternidade você está neste momento, mas não desanime. Confie no Senhor e persevere. A recompensa de sua perseverança em pastorear sua filha como Deus ordena será grande não apenas no presente, mas na vida por vir e além dela. E sinta-se encorajada! Outros vieram antes de você e enfrentaram as mesmas preocupações. Faça o que eu fiz e não hesite em buscar conselho com outras pessoas. Não seja orgulhosa demais para pedir ajuda. Lembre-se: todos os pais passam pelos mesmos desafios. Talvez você descubra que sua situação não é tão séria quanto acha, nem tão difícil de encaminhar quanto presumiu que fosse. Além disso, o apoio dos outros a fortalecerá para batalhas ainda maiores, à medida que sua filha amadurece.

CONFIE SUA FILHA A DEUS

E agora uma boa-nova — a boa-nova suprema! Deus está do seu lado. Ele está disponível e é totalmente competente. Portanto, você pode confiar sua filha às mãos dele. Isso não elimina o que você, mãe, deve fazer. Você ainda deve desempenhar sua parte na educação de sua filha. Ainda deve resistir à pressão da sociedade sobre sua família. Porém, uma vez que tenha vigiado, advertido, nutrido e guiado sua ovelhinha, pode entregá-la à guarda de Deus. A seguir, vem a oração e mais oração!

Confie na oração

Quando Paulo disse aos líderes efésios: *Consagro-vos a Deus* (Atos 20:32), estava demonstrando seu compromisso de confiar em Deus e orar por aqueles a quem dedicara sua vida — suas ovelhas. Na verdade, ele passou a vida orando não só pelos cristãos que conhecia, mas pelos cristãos de todas as igrejas![2]

Bem, querida mãe, sua filha é definitivamente sua ovelha. Você tem passado a vida focada nessa menininha desde que recebeu a notícia de que ela estava a caminho. Você decorou um quarto para ela. Certificou-se de que morava na melhor vizinhança possível, por causa dela. Pesquisou as melhores escolas para educá-la. Assegurou-se de que ela fosse bem preparada para a vida ao prover-lhe aulas de piano, ginástica, futebol, natação, além, é claro, de oferecer-lhe uma boa vida em família. Você ama, cria, alimenta, protege e educa sua filha. Mas, em última análise, sua dedicação física e seu empenho financeiro não conseguem alcançar os resultados espirituais. Por quê?

Porque, sem oração, seu cuidado materno exerce pouca ou nenhuma influência sobrenatural. Porque a oração indica sua dependência de Deus. Porque a oração é a única maneira de consultar o Senhor sobre como criar sua filha segundo o coração de Deus. Seu esforço humano pode servir para educar uma filha que se tornará uma boa pessoa. Mas a oração contribui para você educar uma pessoa excepcional — uma filha segundo o coração de Deus. Não é tranquilizador saber que você, ao longo de todos os dias e noites da educação de sua filha, pode confiar em Deus para ouvir suas orações e responder a elas?

Por isso, no que diz respeito à sua filha, confie em Deus e confie na oração. E...

Confie na Palavra de Deus

O apóstolo Paulo consagrou seus amigos efésios *à palavra da sua graça, àquele que é poderoso para vos edificar* (Atos 20:32). Ele apresentou os efésios a Deus em oração e, depois, apresentou a Bíblia aos efésios. Assim, ore como Paulo! E, tal qual esse apóstolo, encare — a si mesma como uma pastora que se certifica de que sua ovelha receba alimento substancial. Apresente a Palavra de Deus à sua filha quando ela ainda for uma recém-nascida e siga, fazendo o mesmo até que ela alcance os 20 anos, e depois disso também! Confie em Deus para usar as Escrituras, a fim de contribuir para o crescimento e a maturidade espiritual de sua garota. É verdade que lobos selvagens espreitarão em torno de sua menina. Mas o conhecimento da Palavra de Deus a ajudará a manter-se sábia e segura. Ela terá os recursos necessários para se proteger contra os danos e contra a maldade.

Confie no Senhor

Segue uma doce bênção acompanhada de promessas para você à medida que cuida de sua filha e a educa para amar a Deus. Adaptei-a ao cuidado materno, exatamente para você!

Bendita a mãe que confia no Senhor,
cuja esperança é o Senhor.

Ela é como a árvore plantada junto às águas,
que estende suas raízes para o riacho;
não temerá quando vier o calor,
pois sua folhagem sempre estará verde,
e no ano da seca não ficará preocupada,
nem deixará de dar fruto (cf. Jeremias 17:7,8).

Você pode!

A seguir, reunimos algumas sugestões que podem contribuir para que você se torne a mãe que sonha ser. Cada uma delas ajudará você a melhorar sua vida... e a de sua filha também. Aqui vamos nós!

Ofereça cuidados à sua filha

O Senhor é o meu pastor; nada me faltará (Salmos 23:1). Pelo fato de o Senhor ser seu pastor, você sabe que nunca haverá uma necessidade da qual ele não cuide. Nunca faltará nada a você. O bom pastor cuida de seus filhos e provê tudo para eles. E qual é sua missão? Ser uma pastora para sua filha. Oferecer tudo aquilo de que ela precisa — não tudo aquilo que ela quer. Desde o primeiro dia, alimento e roupa são itens essenciais na lista das necessidades de sua menina. Seu tempo e seu amor são necessários. Seu ensino e sua instrução são vitais e ajudam a salvaguardá-la hoje e no futuro. E a segurança e a saúde também estão sob sua vigilância e seu cuidado.

Ofereça descanso e paz à sua filha

Ele me faz deitar em pastos verdejantes; guia-me para as águas tran-quilas (Salmos 23:2). Pelo fato de o Senhor ser seu pastor, ele se certifica de que você tenha o descanso necessário e lhe provê um lugar de paz. E como é a vida sob o teto de sua casa? Você está assegurando que sua filha tenha a energia e saúde de que precisa para ser uma menina em crescimento? Há um horário reservado para o descanso? Um momento para cochilar e um horário determinado para ir para a cama? E, no que depende de você, sua casa é um lugar de paz? Você sabe que o mundo é um verdadeiro caos. Dê à sua filha a dádiva de ter um lugar para relaxar e se abrir, para ler e orar, para pensar e descobrir suas capacidades. Um refúgio. Um santuário.

Ofereça cura e orientação à sua filha

[*Ele*] *renova a minha alma; guia-me pelas veredas da justiça por amor do seu nome* (Salmos 23:3). O pastor está sempre vigiando a ovelha que se sente desencorajada. Uma vez que a ovelha se desvia, ela morre, caso o pastor não a ajude a se levantar. Então, vem o óleo da cura para passar sobre as feridas, seguido de um tempo de intimidade e afeto com o pastor. O bom pastor também...

- Cura seu espírito.
- Restaura-a quando você se sente desencorajada.
- Resgata-a e leva você para casa quando você se desvia.
- Chama-a de volta quando você está insegura.
- Alivia-a quando você está ferida.
- Resgata-a quando você está em perigo.
- Encontra-a quando você está perdida.[3]

Como observadora e pastora, você, mãe, tem o mesmo ministério maravilhoso com sua querida filha. E a orientação? Você já imaginou que pode ser uma orientadora? Bem, você é! Como pastora de sua filha, você não apenas trilha os caminhos da justiça que ela deve seguir, mas, desde os primeiros passos dela, aponta esses caminhos e a encoraja a trilhá-los com você.

Ofereça presença e conforto à sua filha

Quando eu tiver de andar pelo vale da sombra da morte, não temerei mal algum, porque tu estás comigo; tua vara e teu cajado me tranquilizam (Salmos 23:4). Do berço ao túmulo, a solidão não é uma coisa boa. Sua presença e sua disponibilidade são inestimáveis para sua filha. Em momentos bons e especialmente em momentos difíceis, você estará ali para dizer a ela: "Tudo vai dar certo. Não se preocupe. Você tem a mim *e* ao bom Pastor para ajudá-la". Nada pode oferecer mais conforto a um coração jovem em necessidade.

Ofereça amizade e proteção à sua filha

Preparas para mim uma mesa diante dos meus inimigos; unges a minha cabeça com óleo, o meu cálice transborda (Salmos 23:5). A imagem desse versículo é a de um viajante fugindo de predadores e inimigos e finalmente chegando em casa, onde tudo fica bem — e ele é totalmente restaurado por alimento, amizade, segurança e proteção.

O texto bíblico não descreve um dia na vida de sua filha? Prepare-se para a chegada dela em casa todos os dias e acolha-a como uma amiga querida.

Ofereça esperança e um lar à sua filha

Bondade e misericórdia certamente me seguirão todos os dias da minha vida, e habitarei na casa do Senhor para todo o sempre (Salmos 23:6). De onde vem a esperança? Do Senhor. E das promessas dele. Nunca se esqueça de que, toda vez que você compartilha a Palavra de Deus com sua filha e a encoraja em sua vida devocional, você a familiariza com as promessas de bondade

208 EDUCANDO FILHAS SEGUNDO O CORAÇÃO DE DEUS

e misericórdia do bom Pastor. Sempre que sua filha não está fisicamente com você, ela pode confiar no Senhor. E em casa? Sua missão de pastorear não fica completa sem você fornecer um lar para sua filha em seu coração e em sua casa, um lugar no qual ela sempre seja bem-vinda. E, acima de tudo, continue a compartilhar o evangelho de Jesus Cristo para que ela, na vontade do Senhor, tenha um lar eterno com ele no céu.

O bloco de reflexões maternas

Antes de seguir para sua próxima missão de mãe, separe 1 ou 2 minutos para refletir sobre como você pode manter--se alinhada com Deus. Planeje alguns poucos passos que farão uma grande diferença em sua vida e na vida de sua filha:

1. Observar e alertar. É isso o que o pastor faz por sua ovelha e o que eu devo fazer, como pastora de minha filha. De que maneiras posso fazer um trabalho melhor para...

    • ... observar minha filha?
    _____
    _____

    • ... advertir minha filha?
    _____
    _____

2. Reconheço quão importante *é* dedicar tempo à leitura da Bíblia com minha filha. Seguem diversas oportunidades diárias para compartilhar a Palavra de Deus com ela:

_____

_____

_____

_____

E isto é o que planejo para oferecer à minha menina o alimento substancial da Bíblia de que ela necessita para que eu possa, como pastora, cumprir a tarefa de alimentar *minha* ovelha.

3. Não gosto realmente de confrontos. E *odeio* ser chata! Mas, como Paulo disse, há "lobos cruéis" e falsos mestres querem destruir minha filha e solapar sua fé em Deus. Aqui estão algumas ações a empreender nessas importantes áreas:

- Orar por coragem para me manifestar na próxima vez em que...

_____

_____

_____

- Planejar como abordarei minha filha quando...

_____

_____

_____

- Selecionar versículos que possam ajudá-la com seus problemas ou com...

_____

_____

4. Enquanto reflito sobre os versículos que me instruem a vigiar minha filha enquanto ela cresce, percebo algumas áreas em que preciso intensificar meus cuidados como pastora.

_____

_____

_____

_____

_____

Provérbios 27:23: *Procura saber do estado das tuas ovelhas e cuida bem dos teus rebanhos"*. Como posso fazer um trabalho melhor nessa área?

Provérbios 31:27: *[A mulher virtuosa] administra os bens de sua casa e não se entrega à preguiça*. Ops! Estou falhando aqui? O que devo fazer para prestar mais atenção no bem-estar da minha filha?

Capítulo 11

A MARATONISTA

*[...] prossigo para o alvo, pelo prêmio do chamado
celestial de Deus em Cristo Jesus.*

— FILIPENSES 3:14

Quando olho em retrospectiva para alguns anos atrás, balanço minha cabeça em descrença. Será que, aos 40 anos, comecei mesmo a praticar corrida? O que será que passava pela minha cabeça? E por quê? Bem, meu marido, Jim, corria, e eu conseguia ver os muitos benefícios advindos dessa prática diária. Portanto, decidi: "É isso aí! Nasce uma corredora!"

A primeira coisa na lista das "coisas a fazer antes de começar a correr" foi ir até a biblioteca e examinar os livros sobre os fundamentos da corrida. Depois, procurei saber mais sobre as roupas apropriadas, as técnicas, o condicionamento físico e os exercícios de aquecimento.

Após algum tempo aprendendo sobre o assunto e a preparação (e, tenho de admitir, após comprar um moletom muito bonito!), finalmente chegou o dia em que saí de casa para minha primeira corrida, pensando: *Bem, aqui vou eu, pessoal!* Fechei e tranquei a porta, dei um gole na garrafa gigante de água... e corri até o final do quarteirão!

É bom saber que "uma corrida de mil quilômetros começa com um único passo". E, eu gostaria de acrescentar, exige *muita* persistência. Quando por fim pendurei as chuteiras, estava correndo 12,8 quilômetros por dia e 80 quilômetros por semana. Durante o período em que praticava a corrida, jamais desejei participar de uma maratona. Mas, com minha dedicação e perseverança, acredito que realmente poderia ter competido e, talvez, terminado os excruciantes 40 e tantos quilômetros da maratona de Los Angeles.

A MATERNIDADE É UMA MARATONA

Pergunte a qualquer mãe, e ela responderá que ser mãe é a ocupação mais desafiadora de todas. É uma tarefa de 24 horas por dia, 7 dias da semana, que começa com um sonho e continua por toda a vida. Não tem fim, jamais diminui, está sempre em mudança e requer constantemente uma "jogada perfeita", os melhores esforços e trabalho árduo incessante. E, depois, surpresa das surpresas, no instante seguinte, todas as mães se rejubilam com as alegrias da maternidade e fazem o mundo todo saber que nada na terra se compara à alegria de ser mãe.

A maternidade é como uma maratona, a corrida de resistência mais popular do mundo. Não é uma corrida de velocidade de 100 metros em que o corredor se esforça ao máximo até o fim. De forma nenhuma! Educar uma filha segundo o coração de Deus é uma prova de resistência — uma prova em que você estabelece o passo e a direção para você e sua filha. É uma corrida dia após dia. E é uma corrida para a vida toda. É uma corrida na qual vocês duas correm juntas enquanto prosseguem *para o alvo, pelo prêmio do chamado celestial de Deus em Cristo Jesus* (Filipenses 3:14).

Como você pode ter certeza de que fará sua corrida da maternidade sem ceder nem desistir, especialmente durante momentos de dificuldade e desafio? A seguir, estão algumas dicas sobre como ter êxito na maratona em que você e sua filha buscam o coração de Deus.

Conheça seu chamado

Ser mãe de sua jovem garota é o mais nobre de todos os chamados. É um chamado de Deus, fundamentado na educação de sua filha. E é um chamado confirmado por seu único laço e relacionamento com sua filha. Certamente, você acredita que toda mãe consideraria esse papel sua prioridade máxima, não é mesmo?

Eu desejaria que isso fosse verdade! Quando eu não era cristã, se alguém me perguntasse "Você é uma boa mãe?", eu, indignada, responderia afirmativamente: "É claro que sou uma boa mãe. Na verdade, sou uma excelente mãe!" Bem, foram necessários o poder transformador do Espírito de Deus e algum tempo aprendendo a Bíblia para eu descobrir que era uma péssima mãe! Só quando comecei a crescer no conhecimento sobre o plano do Senhor para as mães é que passei a entender que minha prioridade era apoiar e encorajar meu marido e minhas filhas. Desde o dia em que me converti a Cristo, comecei a tomar cada vez mais consciência de meu chamado — como esposa e mãe cristã — e do meu papel: devo *amar* meu marido e *amar* minhas filhas (Tito 2:4).

Assim que compreendi esses chamados, dediquei-me de corpo e alma a esses dois papéis primordiais em minha vida. Como mãe de duas meninas, cujo pai viajava por longos períodos em trabalhos missionários ou ficava fora muitas noites ministrando aulas, ou que ainda era chamado como militar da reserva, eu conhecia meu chamado: manter aceso o fogo de meu lar. Eu devia continuar treinando e ensinando nossas filhas. E, é claro, devia prover muitos momentos divertidos para ajudar o tempo a passar rapidamente!

Além disso, à medida que nossas meninas se aproximavam da idade de casar, meu chamado me levou a não abraçar a carreira de escritora até que ambas tivessem encontrado um

214 EDUCANDO FILHAS SEGUNDO O CORAÇÃO DE DEUS

marido cristão, e nosso ninho estivesse vazio. Pensei: *Certa-mente, consome bastante tempo escrever um livro*, tempo que não tinha disponível naquela época. Bem, agora percebo que eu *não* tinha a menor ideia do quanto é envolvente a atividade de escrever livros! Sou grata por ter esperado até as meninas se casarem. Foi a decisão certa para mim naquela época.

Saiba o que você deve fazer

Agora já faz mais de trinta anos que abracei o papel que Deus reservou para mim. E devo dizer que esse papel nunca foi removido nem transformado. É verdade que o ninho já está vazio faz algum tempo, mas, enquanto escrevo para você, adivinhe qual é o fato imutável: ainda sou mãe! Isso jamais mudará para mim e também não mudará para você!

Quero encorajá-la a separar algum tempo (o que sei que não é fácil!) e a sentar-se em algum lugar tranquilo (se conseguir encontrar um!), a fim de pensar cuidadosamente em seu propósito, especialmente no que concerne a seu papel de mãe. Assim que você conseguir que seu papel como mãe fique gravado em seu coração e em sua mente como prioridade mais sublime, verá as coisas começando a mudar em sua vida. Assim que você abraçar aquilo que deve fazer, acordará todas as manhãs com muita confiança, direção e propósito neste mundo. Por quê? Porque você conhecerá seu foco para esse dia e para todos os outros dias de sua vida. Você saberá o que deve fazer, hoje e todos os dias — pois você é mãe.

Conheça seu objetivo

Jesus fez uma afirmação sobre a impossibilidade de servir a Deus e ao dinheiro, e creio que esse princípio se aplica às mães também. Ele disse: *Ninguém pode servir a dois senhores; porque ou odiará a um e amará o outro, ou se dedicará a um e desprezará o outro*

(Mateus 6:24). Jesus quis dizer que você e eu não podemos servir a dois mestres com igualdade. Esse comentário tinha o objetivo de expor as lealdades divididas. Veja como esse princípio funcionou em minha vida.

Eu tinha duas filhas: uma com 2 anos e a outra com apenas 1 aninho. Mas também tinha o desejo de continuar meus estudos. Assim, matriculei-me em uma faculdade local e iniciei um curso em tempo integral. Encontrei uma babá. Deixava as meninas com ela todos os dias. As meninas saíam de manhã, e eu as buscava à tarde, com o dia já escuro. Eu estava definitivamente servindo a um senhor (a faculdade) em detrimento do outro (o papel de mãe).

Depois, quando me converti a Cristo e compreendi quem eu era e o que deveria fazer, percebi que precisava fazer uma escolha. A quem eu serviria: a mim mesma ou a meu novo mestre, Jesus, sabendo que essa última opção envolvia o meu dever de servir a meu marido e às minhas filhas? Portanto, abandonei o mestrado e comecei o "Programa do Mestre". Poderíamos dizer que comecei a cursar o mestrado em maternidade.

Minha história é minha história. E a sua provavelmente difere da minha de várias maneiras. Mas peça que Deus a ajude a colocar em sua mente e em seu coração o que você deve fazer. Abra seu coração para a liderança de Deus. Se tiver filhos, você é mãe. Essa é uma certeza. E isso deve incluir as atitudes de uma mãe segundo o coração de Deus. Se você tiver uma ocupação — for uma mulher de negócios, uma profissional liberal ou tiver qualquer outro trabalho fora de casa —, reconheça que, no plano divino, ser mãe e educar uma filha segundo o coração de Deus ainda é sua prioridade mais sublime.

Saiba que você não está só

A maternidade é um papel solitário. Sua filha tem só uma mãe: você! Assim, ninguém mais pode exercer esse papel na vida dela.

216 EDUCANDO FILHAS SEGUNDO O CORAÇÃO DE DEUS

Mas Deus lhe dá muitos recursos para auxiliá-la no cumprimento de seu objetivo de educar uma filha segundo o coração de Deus. Por exemplo...

Deus lhe deu sua Palavra e seu Espírito para ajudá-la a correr sua maratona. Qualquer que seja a necessidade, olhe para Deus em busca de ajuda. Você precisa de mais amor, alegria, paciência, gentileza ou domínio próprio como mãe? Esses são aspectos do "fruto do Espírito" de Deus, e eles estão disponíveis à medida que você caminha "sob a direção do Espírito" (v. Gálatas 5:16,22,23).

Você precisa de mais força? Pegue sua Bíblia e leia as inúmeras das promessas de Deus.

Você precisa de mais paz, de mais paz de espírito? Apenas eleve seu coração em oração ao Deus de paz (v. Filipenses 4:9) e desfrute a paz do Senhor (outro aspecto do fruto do Espírito).

Você precisa de algum auxílio? Caso se sinta sozinha no desafio da maternidade, olhe para o alto; olhe para Deus. Ele está sempre ali, dando-lhe apoio e cumprindo, conforme ele mesmo disse, esta promessa: *Nunca te deixarei, jamais te desampararei* (Hebreus 13:5). Permita que o Senhor e sua Palavra a encorajem enquanto você encoraja sua filha!

Você precisa de amizades? A mãe pode se sentir solitária, mas, em Deus, você tem um *amigo mais chegado que um irmão* (Provérbios 18:24).

Deus diz para as mães amarem *os filhos* (Tito 2:4) e ele pode ajudá-la a fazer exatamente isso quando você se volta para ele, em busca de ajuda, quando confia nele, ora a ele e confia na verdade de sua Palavra.

Deus lhe deu as mulheres mais velhas para que a orientem. Olhe ao redor! Há em sua igreja mulheres mais velhas que estão alguns passos adiante na corrida da maternidade, e talvez algumas delas já até mesmo tenham terminado a corrida. Quando você tiver oportunidade, leia Tito 2:3-5, para entender toda a abrangência do ministério dessas mulheres mais velhas. Encorajar você na maratona da maternidade é o papel dessas mulheres. Mas Deus espera que você busque a ajuda delas, e ele as instruiu para que ajudassem você (cf. Tito 2:3). Peça a uma dessas mães mais experientes para se encontrar com você, mesmo se for uma única vez, para que você possa aprender com a experiência e a sabedoria dela.

Foi exatamente isso o que fiz enquanto minhas filhas cresciam. A cada estágio do desenvolvimento, eu buscava o conselho de várias mães que também tinham filhas — e haviam sobrevivido àqueles anos específicos da maternidade. Você, como eu, pode procurar uma mentora. Permita que uma ou mais dessas mães mentoras que já estão mais adiante nessa maratona ajudem você a educar os filhos segundo o coração de Deus. Depois você pode se tornar uma das *mestras do bem* e encorajar *mulheres novas a amarem [...] os filhos* (Tito 2:3,4).

Deus lhe deu outras pessoas que estão no mesmo barco-mãe. Muitas igrejas têm grupos de mães jovens que se reúnem, como, por exemplo, o grupo de Mães de Crianças em Idade Pré-escolar. Talvez essas mulheres tenham crianças com a mesma idade de sua filha. Quando se encontram, não é para unir as ignorâncias nem para fazer fofocas. Elas trocam ideias, ouvem palestrantes qualificados e encorajadores e recebem instruções sobre como orientar os filhos pequenos nos primeiros anos de vida. Em vez de velejarem sozinhas através de "mares nunca dantes navegados", junte-se a uma flotilha de mães. Todas vocês velejam para o mesmo destino — educar uma filha segundo o coração de Deus. Portanto, desfrute a jornada. Aproveite o compartilhar de experiências. E aproveite a chance de mútuo encorajamento.

Conheça o valor de um dia

Se você ou eu refletirmos por um longo período sobre o que é necessário para educar uma filha segundo o coração de Deus, provavelmente seremos esmagadas pelo desafio. Pense nisso: aí está você, uma mulher que tenta cumprir sua jornada ao longo da vida, e Deus lhe entregou a administração de uma alma humana que viverá por toda a eternidade. Bem, é verdade que Deus é o responsável último pelo destino eterno de sua filha. Mas, humanamente falando, você — e espera-se que o pai de sua filha também — é responsável pelo desenvolvimento físico, mental e espiritual de sua menina.

Antes de você jogar as mãos para o alto por sentir-se intimidada diante dessa imensa responsabilidade, considere o valor de um dia. Um dia consiste em 24 horas. Isso equivale a 1:440 minutos ou 86:400 segundos. Toda mãe que já pisou neste planeta recebeu a mesma quantidade de tempo por dia para educar seus filhos. Sua tarefa é tentar fazer o melhor para ser a melhor mãe possível para sua filha — só por hoje. Isso é tudo o que Deus lhe pede; e isso é tudo o que Deus espera de você. Faça seu melhor... só por hoje.

Mas sua vida ainda não acabou! Deus pede e espera que você faça a mesma coisa amanhã. Portanto, acorde amanhã, reúna o que aprendeu hoje e nos dias anteriores — as vitórias, as derrotas, quaisquer fracassos e falhas — e tente mais uma vez ser a melhor mãe segundo o coração de Deus por mais um dia. Você cometerá erros crassos, e haverá colisões, naufrágios e sobrecargas. Contudo, o segredo é prosseguir *para o alvo, pelo prêmio* (Filipenses 3:14) e não desistir. O prêmio de uma filha que ama a Deus é muito maior que permitir a si mesma ceder ou desistir quando as adversidades ou reveses atravessarem seu caminho. Você, no entanto, tem a chance de escolher viver cada dia como se fosse o último dia com sua filha. Se você só tivesse o dia de hoje, o que gostaria de dizer a ela? O que gostaria de fazer junto com ela? O que gostaria de deixar muitíssimo claro para ela sobre você, sobre seu amor e sobre Jesus? Do que gostaria que ela se lembrasse sobre o último dia com a mãe — com você?

Um dia é tudo o que você tem, cara mãe.
A eternidade, no entanto, está contida nesse dia.
Portanto, aprecie o dia de hoje com sua filha.

Como cada dia é vitalmente importante, faça planos para cada precioso período de 24 horas que Deus lhe dá com sua filha pequena, jovem ou já adulta. Celebre isso. Faça isso valer a pena! Depois avalie isso e ajuste os ponteiros para que amanhã seja ainda melhor.

O que acontecerá quando você viver seu papel de mãe um dia por vez? Em primeiro lugar, você dará tudo de você. E viverá esse dia — realmente viverá! E apreciará esse dia. E, bênção sobre bênção, ficará surpresa ao ver a si mesma acumulando uma sequência de dias muito agradáveis, um após o outro. Você se alegrará nos dias em que pensar que as coisas entre você e sua filha não poderiam ficar melhores. Pelo fato de você e ela estarem se divertindo em demasia nesse estágio da vida de sua filha, você sentirá vontade de congelar cada período do relacionamento com sua pequena. (Portanto, certifique-se de tirar muitas fotografias ou de fazer vídeos. E registre as alegrias em seu diário. Esses dias são dádivas de Deus!)

Um dia é tudo o que você tem, cara mãe. A eternidade, no entanto, está contida nesse dia. Portanto, aprecie o dia de hoje com sua filha. Não permita que isso aconteça sem mais nem menos ou que o tempo passe batido. Um dia, com a ajuda e graça de Deus, você sentirá satisfação e espanto enquanto

220   Educando filhas segundo o coração de Deus

contempla sua filha em seu íntimo, cuja vida piedosa está pronta para enfrentar a sociedade como uma mulher cristã forte, vibrante e segundo o coração de Deus. Uma vida que representa a geração seguinte de Deus. Uma vida preparada para repetir com os filhos o processo que aprendeu com você, se Deus assim desejar. O salmista registrou isso da seguinte forma: *Farei com que teu nome seja lembrado de geração em geração; assim, os povos te louvarão para sempre* (Salmos 45:17).

PERCORRA A DISTÂNCIA

Você se lembra do que compartilhei, no capítulo sobre a mãe animadora de torcida, sobre eu ter crescido em um estado fanático por futebol americano? Para muitas pessoas de Oklahoma, o futebol americano é tudo! E, à medida que encerro este livro sobre educar uma filha segundo o coração de Deus, quero usar o jogo de futebol americano para ilustrar alguns exemplos de mães que percorrem ou não percorrem a distância com suas filhas. Tenha em mente que um campo de futebol americano tem 100 jardas de cumprimento, equivalente a pouco mais de 90 metros — e um time não pode marcar um ponto, a menos que chegue ao *fim* do campo.

A mãe de 50 jardas — Muitas mães levam as crianças até a calçada em frente à escola, abrem a porta, dão adeus e dizem: "Bem, já ensinei tudo o que você precisa saber. Agora é com você!"

A mãe 75 jardas — Essa mãe entrega as chaves do carro para a filha (e, algumas vezes, até o carro!) quando ela tem 18 anos. A mãe fica perto da entrada para o carro, dá adeus e grita: "Você está sozinha agora. Consegue dirigir, já tem idade para trabalhar e sabe aonde deve ir. Boa sorte!"

A mãe de 95 jardas — Essa mãe, depois de a filha se formar na escola de ensino médio, leva a filha ainda em formação para o trabalho ou para a faculdade e avisa: "Não se esqueça de nos visitar de vez em quando!"

A mãe 100 jardas — Essa é a mãe maratonista. Ela se recusa a parar no limite de 95 jardas — ou 96, 97, 98 ou 99 jardas. Ah, não! Não existe a menor possibilidade de que essa mãe pare. Ela percorre toda a distância, vai até o fim do campo e atravessa a linha do gol — para ser capaz de dizer *terminei a carreira* (2Timóteo 4:7), ao educar uma filha segundo o coração de Deus.

Você pode! Pode ser uma mãe maratonista. Deus lhe deu todos os recursos necessários para você completar a corrida junto com sua filha. Não há razão para desistir antes de ver sua filha cruzar a linha de chegada. Não há motivo para que você não reúna a energia, o esforço e a determinação necessários para acompanhar sua filha ao longo da vida. Determine-se a correr, a *realmente* correr a maratona da maternidade. E, a cada passo, peça que Deus lhe dê a força, a energia e a sabedoria divinas para você cumprir sua missão até o fim — a de educar uma filha que segue Jesus, uma filha que se torna uma mulher segundo o coração de Deus!

Você pode!

A seguir, reunimos algumas sugestões que podem contribuir para que você se torne a mãe que sonha ser. Cada uma delas ajudará você a melhorar sua vida... e a de sua filha também. Aqui vamos nós!

Avalie suas prioridades

É fácil achar que você está fazendo o que é melhor para sua filha ao ganhar dinheiro e gastá-lo provendo sua preciosa menina com bens materiais e algumas bobagens. E isso começa cedo!

Desde a roupa de bebê de grife e a perfeita decoração até a escola e as aulas particulares, passando pela última moda em celulares, além de uma televisão e acesso à internet exclusivos no quarto dela. Bem a lista de benefícios é interminável. Mas sua filha precisa de uma mãe que a tenha colocado mental, física e espiritualmente como uma prioridade pessoal, bem no topo de sua lista de pessoas especiais junto com o pai da menina. Ela precisa de uma mãe que a ajude a cuidar do próprio coração e invista em lhe mostrar como ser uma menina segundo o coração de Deus.

Defina seu cronograma

É fácil achar que suas prioridades estão em ordem. Mas sempre é bom examinar duas vezes para ter certeza. Faça uma revisão de seu calendário. E verifique mais uma vez as últimas semanas de seu planejamento diário. O que você encontra ali em relação a seus compromissos, atividades e passatempos? Exatamente onde e com quem você passa seu tempo? O que consome a maior parte de seu tempo físico e de sua energia mental? O que isso revela sobre seu foco? Quem está recebendo a maior parte de seu tempo e atenção?

Certifique-se de que o tempo reservado para sua filha apareça em todos os dias e que haja uma saída semanal com a princesinha. Parafraseie as palavras de Jesus em Mateus 6:21 e aplique-as à sua vida: onde está o tesouro de seu tempo é onde está seu coração. Dê à sua preciosa filha o tesouro de seu coração, amor e tempo. Se necessário, mude as coisas. Comece aos poucos. À medida que você observa os resultados na vida de sua filha e em seu relacionamento com ela, ative e mantenha a sintonia fina, intensificando seu esforço de mãe — e desfrute os bons frutos dessa atitude.

Recomece a cada dia

Qualquer pessoa que espere correr uma maratona inteira treina dia após dia. Isso significa que uma mãe maratonista não pode descansar por causa dos resultados da maternidade obtidos ontem, sejam eles bons ou ruins. Se os resultados não foram tão bons, não permaneça neles... mas aprenda com eles. E, se forem bons, louve a Deus. Ao mesmo tempo, não dependa deles nem pense que pode relaxar um pouquinho hoje... mas lembre-se dos resultados. Comece cada dia com uma nova lista de desejos, expectativas e sonhos para o relacionamento com sua filha. E faça o mesmo em relação a seu papel como mãe. O que você pode fazer para ser a melhor mãe que pode ser hoje? Identifique isso, tome posse e planeje-se. E ore! Ilumine seu dia e seu esforço com o poder da oração.

Certifique-se de ser uma mãe ativa e participante

Sua programação está impedindo você de se envolver mais na vida de sua filha? Se esse for o caso, pergunte a Deus que coisas você deve fazer para conseguir mais tempo com sua filha. Talvez você possa começar acordando antes dela, assim as lembranças de sua filha não serão de você se arrastando como um zumbi pela casa. (A maioria dos corredores se levanta e corre cedo — antes de a família se levantar.) Você fica mais alegre, viva e preparada para dar tempo e atenção a seu docinho. Arrume-se e fique pronta para o dia, assim poderá ajudá-la a se preparar para a escola, se ela estiver em idade escolar. Tomem o café da manhã juntas; ou pelo menos sente-se com ela com uma xícara de café na mão e converse sobre o dia que ela terá pela frente enquanto ela come. Se você trabalha fora, tente levá-la para a escola e/ou pegá-la ao fim do dia, ou estar em casa quando ela retornar das aulas. Se ela está na escola, esteja disponível para encorajá-la com sua lição de casa, e ajude-a na

224 Educando filhas segundo o coração de Deus

memorização de versículos para a igreja. Lembre-se: sua filha prospera com seu envolvimento na vida dela. As filhas naturalmente adoram a mãe e anseiam por passar tempo com elas, a menos que sejam deixadas de lado ou ignoradas. Quando isso acontece, não demora muito para se levantar um muro entre mãe e filha. A mãe inteligente sabe que *amor* se soletra desta forma: T-E-M-P-O. E quanto mais tempo, melhor!

Demonstre seu amor com frequência

Todas as pequenas coisas que examinamos neste livro contribuem para mostrar *à* sua filha que você a ama e se importa com ela. Mas é sempre bom verbalizar seu amor. Você nunca exagerará em dizer: "Amo você". Nenhuma filha já morreu por excesso de amor. Na verdade, o amor demonstrado é o que mantém uma menina e suas esperanças e seus sonhos vivos.

Lembre-se de que criar sua filha é uma maratona

Você é abençoada com um objetivo divino. Deve correr a maratona de criar uma filha segundo o coração de Deus. Que propósito! Que alvo! E, como mãe, sua corrida não é de curta distância. Não, sua corrida é a mais importante de todas, é muito longa — *é* uma maratona. O segredo para correr longas distâncias é "alcançar o ritmo firme e estável". Portanto, encontre seu compasso, um ritmo que inclua o que ajuda, e exclua o que atrapalha sua corrida. Tente estabelecer um ritmo de cuidado materno com tão poucas variáveis quanto possível. Transforme sua casa — o lugar em que sua filha vive — em um lugar alegre, pacífico e positivo. Ah, e não se surpreenda se os amigos dela quiserem ficar por perto!

O bloco de reflexões maternas

1. Ser mãe é um chamado? E uma maratona?! Humm. Se Deus está me "chamando" a "amar minha filha" e a criá-la para amá-lo e segui-lo, o que preciso mudar...

- ... em meu pensamento?

_____

_____

_____

- ... em minhas prioridades?

_____

_____

_____

- ... na maneira com que programo meu tempo?

_____

_____

_____

2. Preciso examinar as palavras de Jesus em Mateus 6:21 por mim mesma. (Marque aqui quando você completar essa tarefa: ☐)

Estou tentando servir a dois mestres quando Deus me pede para focar em um objetivo — criar uma filha segundo seu coração? Aqui estão, Senhor, meus primeiros pensamentos a respeito:

_____

_____

_____

3. Graças ao Senhor por eu não estar sozinha nessa tarefa! Sei disso, mas nem sempre paro para me lembrar de que o Senhor está perto e é o meu *refúgio e fortaleza, socorro bem presente na angústia* (Salmos 46:1). Para me conectar ao poder e à sabedoria de Deus, o que preciso fazer para...

- ... buscar na Bíblia ajuda para meus problemas?

_____

_____

- ... passar algum tempo — nem que seja por telefone — com uma mulher mais velha que possa me ajudar na tarefa de ser mãe?

_____

_____

- ... passar algum tempo com outras mães?

_____

_____

4. O valor de um dia — nunca pensei muito nisso. Meus dias simplesmente acontecem. Acho que tenho sorte se

atravesso o dia sem perder a cabeça... ou a paciência! Neste momento, é/são _____ hora(s). O que posso fazer de construtivo no restante do dia?

_____

_____

_____

_____

E amanhã? Começarei o dia com o plano de garantir que as seguintes três coisas aconteçam... ou não aconteçam:

_____

_____

_____

5. Quais são as principais desculpas, atitudes ou maus hábitos que me impedem de correr a maratona lado a lado com minha filha?

_____

_____

_____

"Senhor, por favor, ajude-me a..." (complete sua oração para educar sua filha segundo o coração de Deus).

_____

_____

_____

_____

_____

Notas

CAPÍTULO 1

Parte 1

[1] MAXWELL, John C. *The Maxwell Leadership Bible*. Nashville: Thomas Nelson, 2002, p. 1217.

[2] *Matthew Henry's Commentary on the Whole Bible*. Peabody, MA: Hendrickson Publishers, 1991, p. 244.

[3] LEWIS, C. S., conforme citado por WELLS, ALBERT M., JR., ED. *Inspiring Quotations — Contemporary & Classical*. Nashville: Thomas Nelson, 1988, p. 119.

Parte 2

[4] [NR] A autora se refere ao *homeschooling* (ensino domiciliar), prática regulamentada nos Estados Unidos.

[5] HARRISON, Harry H., Jr. *1001 Things It Means to Be a Mom*. Nashville: Thomas Nelson, 2008, p. 77.

[6] Veja Salmos 77:12; 50:2; 40:10.

[7] TRIPP, Tedd. *Shepherding a Child's Heart*. Wapwallopen, PA: Shepherd Press, 1995, p. 33. [Pastoreando o coração da criança. São José dos Campos: Fiel, 2005.]

[8] MOOREHEAD, Robert, conforme citado em WELLS, Jr, ed., Wells, Albert M., Jr., ed. *Inspiring Quotations — Contemporary & Classical*, p. 119.

CAPÍTULO 2

Parte 2

[1] São Paulo: Hagnos, 2003.

[2] *Life Application Bible*. Wheaton, IL: Tyndale House, 1988, p. 864.

230   EDUCANDO FILHAS SEGUNDO O CORAÇÃO DE DEUS

3   LAW, William, conforme citado em WIRT, Sherwood Eliot. *Topical Encyclopedia of Living Quotations.* Minneapolis: Bethany House, 1982, p. 182.

4   WIRT, Sherwood Eliot, *Topical Encyclopedia of Living Quotations*, p. 183.

5   MURRAY, Andrew, conforme citado em WELLS, Jr, ed., WELLS, Albert M., Jr., ed. *Inspiring Quotations — Contemporary & Classical*, p. 160.

CAPÍTULO 3

Parte 1

1   HIGH, Stanley. *Billy Graham.* New York: McGraw Hill, 1956, p. 126.

2   HIGH, Stanley, *Billy Graham*, p. 28.

Parte 2

1   GEORGE, Elizabeth. *God's Wisdom for Little Girls.* Eugene, OR: Harvest House, 2000, n.p.

CAPÍTULO 4

1   ARCHER, Gleason L. *Encyclopedia of Bible Difficulties.* Grand Rapids: Zondervan, 1982, p. 252.

CAPÍTULO 5

1   BARNA, George. *Transforming children into spiritual Champions.* Ventura, CA: Regal Books, 2003, p:41.

2   KITSEN, Mary Louise, *Generations of Excuses.* citado com permissão.

CAPÍTULO 7

Parte 1

1   GEORGE, Elizabeth. *A Woman's High Calling.* Eugene, OR: Harvest House, 2011, p. 60.

Parte 2

[1] Veja Gênesis 2:18; Efésios 5:22,33; Tito 2:4,5.

[2] Adaptado de GEORGE, Elizabeth. *Cultivating a Life of Character — Judges/Ruth.* Eugene, OR: Harvest House, 2002, p. 134.

CAPÍTULO 8

[1] Veja Êxodo 2:14-21; 3:2-10; 4:18.

CAPÍTULO 9

[1] VAUGHAN, Curtis, ed. geral. *The Word — The Bible from 26 Translations.* Gulfport, MS: Mathis Publishers, 1991, p. 2108.

[2] HARRISON, Harry H., Jr., *1001 Things It Means to Be a Mom*, p. 175.

CAPÍTULO 10

[1] BARTON, Bruce B. ed. *Life Application Bible Commentary — Acts.* Wheaton, IL: Tyndale House, 1999, p. 349.

[2] Veja Romanos 1:9,10; Efésios 1:15,16; Filipenses 1:4; 1Tessalonicenses 1:2,3; 2Tessalonicenses 1:11; 2Timóteo 1:3; Filemom 4.

[3] Adaptado de GEORGE, Elizabeth. *Quiet Confidence for a Woman's Heart.* Eugene, OR: Harvest House, 2009, p. 77.

Sua opinião é importante para nós.
Por gentileza, envie-nos seus comentários pelo e-mail:

editorial@hagnos.com.br

Visite nosso site:

www.hagnos.com.br